TOM ANGLEBERGER

KRAFT VADOR
CONTRE-ATTAQUE

TRADUIT DE L'ANGLAIS (ÉTATS-UNIS)
PAR NATALIE ZIMMERMANN

Seuil

DÉJÀ PARU :

L'Étrange Cas Origami Yoda
2012

Pour l'édition française, avec l'autorisation de Harry N. Abrams, Inc.
© 2013, Le Seuil Jeunesse
ISBN : 978-2-02-105854-3

CE LIVRE EST DÉDIÉ À
SUSAN VAN METRE, QUI A CRU
DEPUIS LE DÉBUT EN ORIGAMI YODA

Si tu ne connais pas très bien l'univers de *Star Wars*, rends-toi
sur Wookiepédia à chaque fois que tu rencontreras un *, et tout s'éclairera !

harvey + Kraft Vador

KRAFT VADOR
CONTRE-ATTAQUE !

PAR TOMMY

C'est une période sombre au collège McQuarrie...

Quand est-ce que ça a commencé ? Je peux vous le dire très exactement : le jour de la rentrée. Le tout premier jour de cinquième. On n'a même pas eu un seul bon jour. On a eu, quoi, cinq minutes cool, pas plus.

C'était comme la scène où Han Solo et Leia croient qu'ils vont prendre le petit déjeuner avec Lando, dans *L'empire contre-attaque*. Ils remontent un couloir en se disant : « Je mangerais bien un pain au chocolat », et puis ils arrivent dans la salle à manger, et, tout à coup, c'est Vador qui est là. (Et il n'y a pas de pains au chocolat.)

Donc, le premier jour de cinquième, on était tous là, en train de traîner au CDI – Sara et moi, Kellen et Rhondella, Lance et Amy. On aurait dit que tout était parfait et que ça allait durer toute l'année. On se disait tous bonjour, Kellen nous présentait un petit sixième qu'il connaissait et qui s'appelle Murky, et ils nous racontaient le truc dingue qui leur était arrivé cet été au skatepark, grâce à Origami Yoda.

Et puis soudain... voilà Harvey qui débarque.

– La boulette de papier Yoda ? Désolé, l'année de Boulette Yoda est terminée, maintenant.

Et il se met à chantonner :

– Bom bom bom bom ba-bom bom-ba-bom.

La musique de Dark Vador.

Ensuite il tend la main et on découvre un Dark Vador en origami fabriqué en papier kraft noir, avec des yeux métallisés brillants et un sabre laser rouge.

Tout aurait pu arriver. Moi, j'étais sur le point de dire : « C'est impressionnant », parce

que je trouvais que c'était vraiment impressionnant. Mais avant qu'aucun des garçons ait
pu dire quoi que ce soit de ce genre, Rhondella
s'est exclamé :

- Oh ! qu'est-ce qu'il est chou !
- Oui, a renchéri Sara, il est super mignon.
- Il est tout riquiqui ! a dit Amy.

Évidemment, ça a rendu Harvey furieux. Il
s'est mis à crier d'une voix aiguë, ce qui n'est
jamais bon signe avec lui :

- Kraft Vador n'est pas mignon !
- J'adore son tout petit sabre laser ! a
piaillé Sara.

- Tu veux bien m'en faire un rose ? a demandé
Rhondella.

- J'aurais dû me douter que vous feriez les
imbéciles ! a hurlé Harvey.

J'ai essayé de le calmer :

- Eh, Harvey, coolos. Elles te disent que ça
leur plaît, mec. Tiens, laisse-moi le regarder
de plus près.

J'ai tendu la main pour attraper l'origami,
mais il l'a retiré d'un coup sec et il a aboyé :

- Tire-toi, Tommy.

Il s'est éloigné, mais il s'est bientôt retourné pour agiter sa marionnette et lancer, dans une imitation parfaite de Vador :

– Vous sous-estimez le pouvoir du côté obscur !

– Vous, les mecs, vous êtes vraiment bizarres, a lâché Rhondella.

– Quoi ? qu'est-ce qu'on a fait ? a demandé Kellen. C'est pas nous qui…

Mais Rhondella ne l'écoutait plus. D'autres filles venaient d'arriver et elles étaient déjà toutes en train de s'embrasser et de se dire :

– Ce que tu m'as manqué !

Et :

– Où est-ce que tu es allée cet été ?

Ce genre de trucs.

Ensuite, elles se sont installées à une table, et nous à une autre. La matinée parfaite était terminée… comme l'année parfaite, d'ailleurs.

Commentaire de Harvey

↘ Tu as oublié de dire que je réussis aussi la respiration sifflante de Dark Vador à la perfection.

Mon commentaire : Nom de Zeus ! Non seulement Harvey (avec Vador) a tout gâché, mais il a réussi à me piéger pour continuer d'écrire ses commentaires stupides. Argh !

KRAFT VADOR CONTRE ORIGAMI YODA

PAR TOMMY

La bonne nouvelle, c'est que Dennis est arrivé pas longtemps après, avec Origami Yoda.

L'année dernière, Origami Yoda a fait tout un tas de trucs pour que ça aille mieux dans nos vies. Par exemple, c'est grâce à lui que tout le monde a arrêté d'appeler Quavondo le « Bouffeur de Curly », et que Mike a cessé de pleurer à chaque fois qu'il était éliminé en sport. Ensuite, il a carrément fait un miracle en nous permettant de nous amuser au bal du collège. Origami Yoda m'a aidé à inviter Sara à danser, et, sans lui, ceux qui n'avaient jamais dansé

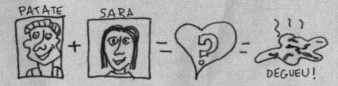

avant ne se seraient jamais tortillés comme des malades sur des twists endiablés.

La mauvaise nouvelle, c'est que, cette année, Origami Yoda doit affronter la puissance destructrice de Kraft Vador, et qu'il n'arrive pas à prendre le dessus.

Tout est parti de travers depuis ce premier jour. On est au mois d'octobre, et Kraft Vador a anéanti pratiquement tout ce qu'Origami Yoda avait accompli l'année dernière. Les filles ne nous aiment plus. Les profs ne nous aiment pas non plus. Et on n'arrive même plus à s'entendre entre nous.

Sara, qui était quasiment ma copine, est sur le point de sortir avec Patate Ronde. Je rêve ! Sara avec Patate Ronde !

En attendant, Rhondella ne parle plus à Kellen. Lance et Amy ne sont plus ensemble, et Mike s'est remis à chialer en cours !

Mais c'est encore pire pour Dennis : il a été exclu du collège, et la commission académique doit décider s'il doit être envoyé dans un ERS – Établissement de Réinsertion Scolaire –, une

OÙ EST MON GROUPE DE ROCK ALIEN ?

pension réservée aux cas vraiment graves, ce que Dennis n'est pas du tout. Le grand frère d'Amy a dit que le type le plus dur, le plus violent et nocif de sa classe a été envoyé là-bas… et qu'il s'est fait tabasser ! C'est une espèce de palais de Jabba le Hutt*, sans le groupe de rock alien.

Ce serait la défaite suprême pour Origami Yoda, et tout le monde pense que Kraft Vador est derrière tout ça. Pourtant, j'ai du mal à croire que même Kraft Vador/Harvey puisse être aussi mauvais !

Alors, avec Dennis qui est exclu depuis bientôt quinze jours, on est tous redevenus des losers. Sans Dennis, on n'a évidemment plus Origami Yoda non plus, puisque c'est lui qui se trimballe partout avec son origami sur le doigt et nous transmet ses conseils.

Cette fois, c'est beaucoup plus grave. Il s'agit de convaincre la commission académique d'épargner Dennis et Origami Yoda. Comment on compte y arriver ? Je n'en ai aucune idée. Mais Origami Yoda nous a demandé d'y aller, alors on y va.

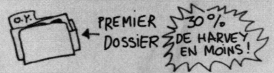

PREMIER DOSSIER ← 30 % DE HARVEY EN MOINS !

C'est le dernier conseil qu'il a pu nous donner. Depuis, on doit se débrouiller tout seuls. En fait, c'est encore pire que ça…

Au lieu d'avoir Dennis et Origami Yoda, on doit se farcir Harvey et Kraft Vador !

Commentaire de Harvey

Se farcir Kraft Vador ? Pauvres imbéciles ! Si seulement vous vous étiez rangés derrière Kraft Vador… on aurait pu devenir les maîtres de tout le collège : les pauvres conseils de la Boulette de papier Yoda ne sont rien comparés au pouvoir du Côté Obscur !

Mon commentaire : vous voyez ce que je veux dire ?

NOTE: CECI N'EST PAS LE GROUPE
DE ROCK ALIEN DE JABBA. EN FAIT
C'EST LA CHORALE DES 4es.

TOMMY

COMMENT ON EN EST ARRIVÉS LÀ

PAR TOMMY

Donc, Kraft Vador et Origami Yoda n'arrêtaient pas de se disputer.

Au début, Harvey voulait qu'ils se bagarrent pour de vrai, avec des sabres lasers en papier, mais Dennis a refusé.

– Personne par la guerre ne devient grand, a déclaré Dennis/Origami Yoda.

Mais, qu'il le veuille ou non, il a quand même fini par entrer en guerre. Harvey ne voulait rien lâcher.

Kraft Vador et lui faisaient des trucs odieux – comme de courir emprunter à la bibliothèque

SABRE LASER EN PAPIER

COUPER UN LONG TRIANGLE

REPLIER LA BASE

TADAM!
(ATTENTION AUX COUPURES DE PAPIER)

SUPER
LIVRE

tous les livres sur Booker T. Washington en apprenant que je préparais un exposé dessus. Et Origami Yoda trouvait une solution : en me signalant qu'on pouvait télécharger gratuitement l'autobiographie de Booker T. Washington sur Internet.

Origami Yoda et Kraft Vador ont passé tout le premier mois à s'affronter comme ça.

Et puis, tout à coup, la situation s'est détériorée si vite qu'on n'a même pas compris ce qui arrivait.

Ça a commencé quand Jen nous a rejoints à la cantine pour poser une question à Origami Yoda.

Jen fait partie de ces élèves qui ne nous avaient jamais adressé la parole avant l'apparition de maître Yoda. Comme elle est très populaire, on se disait que ça devait être une vraie bêcheuse. En réalité, une fois qu'on la connaît un peu mieux, elle n'a pas l'air si mal. À notre grande surprise, elle a pris Origami Yoda très au sérieux et il s'avère que c'est une grande fan de *Star Wars*.

– Besoin de l'aide de Kraft Vador ? a proposé Harvey.

 18 JEN

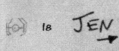

– Euh, non, a répondu Jen. J'ai besoin du conseil d'un vrai maître Jedi. En fait, on va me prendre à l'essai dans l'équipe des pom-pom girls. D'habitude, ce n'est que pour les quatrièmes et les troisièmes. C'est super dur pour une cinquième d'y arriver. Je m'entraîne tout le temps. Tu crois qu'Origami Yoda pourrait me donner un conseil secret ?

Dennis gardait les yeux rivés sur sa nourriture. Il est un peu déprimé depuis que la fille qui lui plaît vraiment, Caroline, a été envoyée dans un collège privé, l'Académie Tippett. Donc Dennis broyait du noir, mais il acceptait quand même qu'on pose des questions à Yoda, ce qui prouve bien que c'est un type vraiment sympa. Il a levé l'index, et Origami Yoda était là, prêt à démarrer.

Comme Jen avait précisé qu'elle allait être prise à l'essai, Kellen et moi, on s'attendait à ce qu'Origami Yoda dise : « Non, n'essaie pas. Fais-le, ou ne le fais pas. Mais il n'y a pas d'essai. » La citation célèbre du meilleur film de tous les temps, *L'empire contre-attaque.*

LE VRAI YODA

Au lieu de ça, Dennis a pris une expression vraiment très bizarre. Il s'est levé, s'est avancé vers Jen, et lui a agité la marionnette sous le nez.

C'était étrange, même pour Dennis.

Puis il est devenu encore plus bizarre. Il a parlé avec la vraie voix de Yoda. D'habitude, il imite très mal le maître Jedi, mais cette fois, il a pris exactement la voix de Yoda quand Luke sort de la grotte et que Yoda fait peur.

– Le zéro fatidique approche…, a-t-il marmonné.

– Qu'est-ce que…, a commencé Jen.

– Le zéro fatidique approche. Prépare-toi à affronter le jugement dernier !

– Ça va, Dennis, pas besoin d'être aussi bizarre, a répliqué Jen avant de filer.

En voyant son expression, je me suis dit que c'était sûrement la dernière fois qu'elle posait une question à Origami Yoda.

– Ouah, c'était complètement barré, a commenté Harvey.

Pour une fois, je ne pouvais pas dire le contraire. On se serait vraiment crus du côté obscur de la Force.

CÔTÉ OBSCUR

— Je crois que tu ferais mieux d'aller t'excuser, ai-je dit à Dennis. C'était beaucoup trop flippant. Elle a dû croire que tu la menaçais ou un truc de ce genre.

— Ouais, Dennis, ça pourrait carrément te valoir des ennuis, a ajouté Kellen.

Jusque-là, Dennis n'avait pas dit un mot et ne s'était même pas rassis. Mais dès que Kellen a prononcé le mot « ennuis », il s'est laissé tomber sur sa chaise, a fourré Origami Yoda dans sa poche et s'est mis à enfoncer très fort et à plusieurs reprises son pouce dans son hamburger.

— Qu'est-ce qui te prend de dire des trucs pareils ? a insisté Kellen.

— C'est pas moi qui l'ai dit, a marmonné Dennis. C'est Origami Yoda.

— Puisque c'est comme ça, je vais lui donner l'occasion d'écouter les conseils de Kraft Vador, a dit Harvey en se lançant à la poursuite de Jen.

On a cru que ça allait en rester là. D'accord, Dennis était encore plus zarb que d'habitude, mais il n'y avait pas de quoi en faire tout un plat. Enfin, on n'aurait jamais imaginé qu'il se ferait virer pour ça. Alors on a fini de déjeuner, il y a eu la sonnerie et on est retournés en cours.

On ne sait pas exactement ce qui s'est passé ensuite car personne ne veut rien nous dire. Rabbski, la principale, prétend que ça ne nous regarde pas, mais je crois bien que si.

Bref, Jen a dû rapporter à quelqu'un, peut-être à la principale, que Dennis avait dit des trucs flippants. Elle a peut-être même prétendu qu'il l'avait menacée.

Kellen était en cours avec lui quand on a appelé Dennis au bureau de la principale. Mais Dennis avait déjà dû être appelé trois milliards de fois chez Mme Rabbski, alors ça ne l'a pas inquiété plus que ça.

Le problème, c'est qu'il n'est pas revenu en classe. On a appris qu'il avait été collé pour le reste de la journée. Et puis, en fin d'après-midi, Sara nous a dit qu'elle avait croisé la mère de Dennis dans le couloir, et qu'elle se dirigeait vers le bureau de la principale.

Après la fin des cours, Kellen et moi, on est allés voir si on pouvait apprendre quelque chose.

RABBSKI!

On est arrivés juste à temps.

On a eu dans les cinq secondes pour parler avec Dennis quand il est sorti du bureau, pendant que sa mère continuait de discuter à l'intérieur avec Mme Rabbski.

Dennis ressemblait à un zombie. Il flippait trop pour parler.

C'est Yoda qui a dit :

– Du collège, renvoyés nous sommes.

– Renvoyés ? Pourquoi ? À cause de Yoda ? C'est pas possible ! s'est écrié Kellen.

– Possible c'est, a fait la voix éraillée du Jedi. Sauver Dennis, vous devez.

– Comment ?

– La vérité pour la commission académique écrire vous devez. Ouvrir un nouveau dossier il faut.

J'allais demander des trucs utiles pour le dossier, pourquoi il fallait qu'on l'écrive et de quoi ça devait parler, quand Kellen s'est incrusté bêtement :

– Est-ce que je dois refaire des petits dessins dessus ?

— Du mal, ça ne peut pas faire), a répondu Yoda.

Ensuite, la mère de Dennis et la principale sont sorties du bureau, et je n'ai pas pu poser la moindre question.

Mme Tharp avait l'air secouée. Elle pleurait et reniflait.

— Oh, Dennis, je t'en prie, range ton origami, a-t-elle supplié. On doit partir. La principale nous a fusillés du regard.

— Tommy et Kellen, je ne crois vraiment pas que Dennis ait besoin de vos encouragements pour le moment.

Pendant que notre pote et sa mère s'éloignaient, Rabbski nous a gratifiés d'un petit discours comme quoi nous avions aggravé les problèmes de Dennis. On a bien essayé de lui demander ce qui se passait, mais elle a répliqué que les questions de discipline étaient strictement privées et qu'elle ne nous dirait rien.

Dès que je suis arrivé à la maison, j'ai envoyé un mail à Dennis. Voilà ce qu'il m'a répondu :

Qu'est-ce qu'il y aura à déjeuner demain ?
Origami Yoda penche pour le sandwich aux
côtelettes de porc grillées. Si c'est ça, tu
peux m'en acheter un et demander à Sara de me
l'apporter en rentrant chez elle ?

CÔTELETTES
DE PORC
GRILLÉES ➤

Ça ne me donnait aucune indication (même s'il
se trouve qu'il avait vu juste au sujet des
côtelettes de porc) ! Il y avait quand même une
pièce jointe. Il avait scanné une lettre de la
principale, Mme Rabbski.

TOURNEZ
S.V.P

Je n'arrivais pas à y croire. Des « antécédents de comportement violent » ? Effectivement, Dennis avait été exclu l'année dernière,
après s'être battu avec Zack. Mais depuis quand
le fait de tenir tête à une brute est-il un
« antécédent de comportement violent » ? C'est
plutôt Zack qui aurait dû être envoyé en ERS.
Dennis ne ferait pas de mal à une mouche. Il
dit tout le temps des trucs comme « Le zéro
fatidique approche », mais ce n'est pas une
menace. C'est juste Dennis.

ZACK

DEMANDE À LA COMMISSION ACADÉMIQUE

DU COMTÉ DE LUCAS POUR UN TRANSFERT EN ERS

ÉTABLISSEMENT : *Collège McQuarrie*
PRINCIPAL : *L. Rabbski*

ÉLÈVE : *Dennis Tharp*
N° IMMATRICULATION : *69735-D-43*
CLASSE : *5ᵉ*

MOTIF : *Des élèves sont venus me voir pour se plaindre de menaces, voire de harcèlement. Outre le fait qu'une telle conduite enfreint la politique de tolérance zéro de notre établissement en matière de brutalités, cette affaire est d'autant plus préoccupante que Dennis a déjà des antécédents de comportement violent – pour lequel il a été momentanément exclu l'année dernière.*

De plus, Dennis fait preuve d'un irrespect manifeste envers l'autorité et perturbe constamment les espaces d'enseignement. Nous avons déjà utilisé tous les outils disciplinaires disponibles pour faire cesser son comportement inadmissible – qui comprend souvent l'utilisation d'une marionnette à doigt – mais en vain. Nous estimons que l'attention particulière dont Dennis ferait l'objet dans un ERS serait beaucoup plus appropriée.

Recommandation : je n'ai d'autre choix que de demander à la commission académique de placer Dennis Tharp en ERS au moins jusqu'à la fin du semestre.

À présenter lors de la réunion de la commission académique du 28 octobre.

J'ai pris conscience à ce moment-là que si Origami Yoda réclamait un nouveau dossier, c'était certainement pour le présenter à la commission académique, lors de cette réunion du 28 octobre. S'ils se contentaient de la version de Rabbski, Dennis passerait sûrement pour un dingo.

Bon, c'est vrai qu'il est un peu dingo, mais dans le genre dingo gentil. Et c'est ce qu'il faudrait faire comprendre à la commission.

J'ai donc décidé qu'on devait rassembler des témoignages qui montrent que Dennis et Origami Yoda sont des éléments positifs, et importants pour le collège. (Allez, les mecs – Yoda ne serait jamais du côté des méchants ! C'est n'importe quoi !) On doit absolument prouver que Dennis n'a rien à voir avec un délinquant.

Au fait, quand je dis « nous », je parle de Kellen, de moi et de quelques autres aussi, mais pas de Harvey.

Vous avez remarqué que Mme Rabbski a dit que « des élèves » étaient venus la voir pour se plaindre. Ce n'était donc pas seulement Jen. Il y avait Jen plus quelqu'un d'autre. Je n'ai pas de preuve, mais je parie que je sais qui...

HARVEY
INTERDIT

Harvey. C'est l'un des points que j'aimerais tirer au clair. Une partie de la « vérité » qu'Origami Yoda voudrait qu'on découvre.

Commentaire de Harvey

Je ne suis pas responsable ! Je n'ai pas arrêté de pousser Dennis à se débarrasser de sa Boulette de papier Yoda, et il n'a pas voulu m'écouter. Qui est-ce qui l'a mis dans le pétrin ? Sa Boulette de papier Yoda, personne d'autre.

Mon commentaire : Ouais, c'est ça.

Quoi qu'il en soit, voici les témoignages que j'ai rassemblés pour défendre Dennis. Certains le montrent comme un type bien, d'autres montrent que Harvey est un gros nul. Avec un peu de chance, quand on aura mis tout ça ensemble, ça prouvera à la commission académique que Dennis et Origami Yoda ne sont pas dangereux et ne perturbent pas la vie du collège. J'espère vraiment qu'on va y arriver...

POUR LA DÉFENSE DE DENNIS ET D'ORIGAMI YODA

PAR TOMMY ET KELLEN

Chers membres de la commission académique,

Il faut absolument que vous laissiez Dennis revenir au collège.

D'abord, c'est notre ami et ça nous manque de ne pas l'avoir avec nous – même s'il lui arrive parfois de nous faire un peu honte.

Ensuite, on a besoin de lui. Il est vraiment sympa et nous aide à régler nos problèmes.

Voilà, vous trouvez peut-être bizarre qu'il nous aide en nous laissant parler avec la marionnette à doigt Yoda qu'il a fabriquée. Mais qu'est-ce que ça peut faire ? Il nous aide quand même.

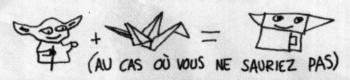

(AU CAS OÙ VOUS NE SAURIEZ PAS)

Quand on était en sixième, il a fait plein de choses pour nous, surtout pour nous empêcher de nous ridiculiser. Il s'est aussi débrouillé pour que Sara et Rhondella dansent avec nous au bal du collège.

Alors on a cru qu'on allait commencer une nouvelle année avec chacun une copine – ou presque – et avec des conseils adaptés à tous nos problèmes. Ça devait être génial.

Vous allez sûrement trouver ça bizarre, mais on en était arrivés au point où ça nous paraissait complètement normal de parler avec une marionnette à doigt.

Vous devez donc vous demander : Si Dennis est aussi sympa que ça, pourquoi a-t-il des ennuis ?

Eh bien, on a pas mal de reproches à faire à Harvey. Son nom va revenir souvent. Et si jamais c'est LUI que vous décidez d'envoyer en ERS, ça ne nous posera pas de problème.

Harvey a toujours détesté Origami Yoda, surtout depuis que celui-ci l'a ridiculisé au bal de l'an dernier. Du coup, cette année, il a fabriqué un Dark Vador en origami pour le combattre.

Il faut bien reconnaître que, parfois, Dennis s'attire des ennuis tout seul.

Mais pas en faisant des sales coups – juste des trucs bizarres. Comme la fois où il a apporté un diabolo en français pour un exposé et qu'il a cassé une ampoule avec – il y a eu des bouts de verre partout, et la prof a fait évacuer la salle parce qu'elle croyait que les ampoules étaient remplies de gaz toxique.

C'est pour ça qu'on lui conseille toujours d'interroger Origami Yoda avant d'agir. Yoda lui aurait sûrement dit : « Se servir d'un diabolo juste au-dessous d'une lumière tu ne dois pas. » Ou quelque chose de ce genre.

Bref, encore une fois, Dennis n'a rien fait de méchant, il s'est juste conduit bizarrement.

Et même si ce qui lui vaut tous ces ennuis semble l'accuser, on pense que, là aussi, il s'est juste conduit bizarrement. On est sûrs que la principale, Mme Rabbski, vous a répété ce qu'Origami Yoda avait dit à Jen. On ne peut pas vous expliquer pourquoi il a parlé de « zéro fatidique » et de « jugement dernier », mais on peut vous certifier qu'on ne croit pas

une seconde qu'il ait voulu mal faire. Tous les
élèves du collège vous le confirmeront.

Alors on s'est rassemblés pour constituer ce
dossier avec un tas de témoignages qui montrent
que Dennis et Origami Yoda ne sont pas passés du
côté obscur ! Ce sont eux, les gentils !

Sincères salutations,

Tommy Lomax
KELLEN CAMPBELL

SARA BOLT
RHondella CarRasQuillo
lance alexander
mike coley   Jacob
                  cornelius
Quavondo Phan
Amy youmans
Cassie Dillon
          murky Kahleel
Remi minnick
Ben ManTRue
Caroline Broome james Sueroir

KELLEN

ORIGAMI YODA ET LE MORVEUX

PAR KELLEN (TEL QUE DICTÉ À TOMMY)

Chers membres de la commission académique,

Ce récit montre comment Dennis et Origami Yoda nous aident à résoudre des problèmes. Cela se passait en été, et pas pendant la période scolaire. Ce jour-là, Origami Yoda a sauvé la vie d'un enfant !

Parce que, sans son intervention, j'aurais étranglé ce morveux !

Je plaisante, bien sûr. Je n'allais pas le tuer ni même lui faire du mal. Mais c'était justement ça, le problème. Il était trop petit

 Mais

pour se prendre une raclée. Tout le monde aurait dit que j'étais un monstre de m'en prendre à un gamin aussi petit.

Il est peut-être petit, mais c'est une très grande nuisance.

Ça s'est donc passé cet été, au skatepark de Vinton. Ma mère me laissait là-bas en partant travailler et me récupérait en rentrant. J'avais passé des mois à la supplier pour qu'on s'organise comme ça, et j'avais fait des tonnes de corvées de toutes sortes pour lui prouver que j'étais « suffisamment mûr et responsable ».

Ça aurait dû être le paradis : rester avec mes potes, m'entraîner sur ma planche, manger des cochonneries et boire du soda au Qwikpick d'en face…

Le seul problème, c'était le Morveux qui habitait à côté et qui n'arrêtait pas de nous coller. On ne savait jamais quand il allait débarquer. Et, une fois qu'il était là, impossible de s'en débarrasser !

Voici comment mon été a commencé :

Je mourais d'envie de montrer mon 50-50 grind à Lance et à Murky. Ça faisait un bon moment que je m'acharnais dessus.

Je saute dans le bowl, je prends un maximum de vitesse et j'arrive en haut pour faire mon grind. Mais au lieu de se poser sur le rebord, la planche part un peu trop vite en travers. Mes pieds décollent et je tombe en arrière. Résultat : je me prends un coup sur le tibia juste en dessous du protège-genou, je me scratche la main gauche, et mon casque rebondit plutôt durement contre le sol.

Je reste couché par terre, à me demander si je ne suis pas mort, quand j'entends cette voix criarde et détestable qui piaille de l'autre côté du bowl :

– T'es nul, mec.

Je lève la tête et je découvre la silhouette de ce morveux qui se découpe contre le soleil torride.

Lance et Murky – qui auraient dû se précipiter pour voir comment j'allais – se sont mis à rigoler.

Comment s'est passé le reste de l'été ? À peu près comme ça, encore et toujours. Tu essaies

de travailler une figure difficile, et à chaque fois que tu te plantes, tu as droit à : « T'es nul ! » ou « Raté ! ». Et quand tu arrives à faire le trick, le Morveux te balance : « C'était pas très haut » ou « Tony Hawk le fait bien mieux ».

Bowl

RAILS

MINI

Impossible d'échapper au Morveux. Comme vous le savez, il n'y a pas d'autre skatepark à Vinton et il n'est pas très grand. Il y a le bowl, deux ou trois rails et un mini quarter-pipe pour débutants, un point c'est tout. Quoi qu'on fasse, le morveux est toujours dans les parages pour vous scruter et critiquer.

PLACE DE LA SUB-BOX AVANT QU'ELLE NE S'ÉCROULE

Le comble, c'est que ce nabot ne savait même pas monter sur une planche. Il se contentait de traîner avec un casque, des protections et un skate, le tout impec, sans une rayure.

Et si vous lui disiez de la fermer, il vous répondait :

– Pas la peine de me crier dessus juste parce que t'as loupé ton coup.

Tout le monde le détestait, mais je crois que je le détestais encore plus que les autres parce qu'il m'asticotait tout le temps.

Bref, au bout de quinze jours, j'étais prêt à lui fracasser le crâne avec ma planche.

– Eh ! stouke, tu peux pas faire un truc pareil, a fait Murky pendant qu'on sirotait un soda avec Lance au Qwikpick. (« Stouke », c'est un Murkisme. C'est un peu comme s'il disait « mec ».) Il est insupportable, mais c'est rien qu'un petit môme.

MURKY

– En plus, je ne suis pas sûr qu'il ne te mette pas la raclée, a ajouté Lance.

– Très drôle, Lance, j'ai répliqué. Évidemment que je ne vais pas frapper ce petit morveux, mais il faut que je trouve une solution. Je pense carrément à aller au centre aéré avec mes sœurs.

LANCE

– Au centre aéré ? Tu rigoles ? a demandé Lance.

– Tu vas péter les plombs, là-bas, a dit Murky.

– Je pète déjà les plombs ici. Ce morveux me sort par les yeux. Qu'est-ce que je dois faire ?

– Demande à Origami Yoda, a suggéré une voix.

Une main est apparue au-dessus du présentoir à chips. Origami Yoda était planté sur l'index.

Soudain, j'ai eu un Nouvel Espoir !

– C'est toi, Dennis ?

– Ouais, a fait sa voix, de l'autre côté. J'admirais le rayon des biscuits apéritifs – qui, soit dit en passant, est exceptionnel – quand je t'ai entendu parler de ton problème. Je crois qu'Origami Yoda pourrait t'aider.

– C'est quoi, ce délire ? a demandé Murky en rigolant à moitié.

Mais Lance et moi, on l'a fait taire :

– Chut, mec, Origami Yoda possède la sagesse des Jedis.

– Origami Yoda, qu'est-ce que je dois faire avec ce morveux ? ai-je questionné.

Et je lui ai raconté ce que j'endurais.

La marionnette a commencé à se tortiller, et puis on a entendu une petite voix grinçante :

– Lui apprendre tu dois.

– C'est exactement ce que je voulais faire. Lui apprendre à bien se tenir à coups de planche.

– Non ! a protesté Yoda. Lui apprendre à monter sur la planche, tu dois.

– Quoi ? Pas question !

– Si, question.

J'ai contourné les rayons pour expliquer à Dennis que son idée était débile, mais il avait disparu. Et Yoda avec lui. Il n'y avait plus que les biscuits apéritifs.

– Comment il a fait, il s'est téléporté ? s'est étonné Murky.

– Il est probablement allé aux toilettes, a dit Lance.

Il a vérifié : les toilettes étaient fermées.

– Dennis, t'es là-dedans ? J'ai hurlé.

Pas de réponse. On a attendu quelques minutes, pour voir s'il allait sortir, mais non. Alors on est passés à la caisse et on est partis.

Quand on est retournés au skatepark, le Morveux était là, plus morveux que jamais.

– Vas-y, m'a conseillé Lance. Origami Yoda ne se trompe jamais.

– Ouais, je sais ! Mais si je lui apprends à skater, il ne nous lâchera plus !

– Peut-être qu'il va se casser la figure, rentrer chez lui en pleurant et qu'on ne le reverra jamais, a avancé Murky. Problème résolu.

Bon, eh bien, je lui ai appris. Il s'est cassé la figure et il a pleuré. Mais il n'est pas rentré chez lui.

On n'a pas arrêté de bosser. Chaque matin, avant qu'il y ait du monde, je l'aidais à dropper du mini quarter-pipe. Une fois qu'il a assimilé ça, je lui ai montré comment monter la rampe et la redescendre. Et puis comment effectuer un rock'n'roll calé sur un curb.

Vous vous imaginez sans doute qu'il a appris vite et s'est révélé vraiment bon, mais non. La vérité, c'est qu'il est nul. Mais ça, je ne le lui dis pas. Et lui, de son côté, ne se fiche plus jamais de moi.

Commentaire de Harvey

➤ **Comment se fait-il que, dans tous les témoignages, Dennis soit toujours aux toilettes ?**

Mon commentaire : Génial... Harvey a absolument voulu avoir le dossier pour ajouter ses propres commentaires « scientifiques », et voilà ce qu'on obtient : de l'humour de chiottes.

Ce qui me fait penser que... le morveux de Kellen me rap-pelle quelqu'un. Voyons voir... un mec qui traîne et qui n'arrête pas de se plaindre et d'insulter tout le monde ? Suivez mon regard... Direction (toux) Harvey (toux).

En fait, le prochain témoignage porte justement sur les jérémiades et les insultes, avec en bonus Kraft Vador le pénible.

ORIGAMI YODA ET LE SPHINX COLIBRI

PAR SARA

Chère commission académique,

C'est bizarre que ce soit à moi de vous raconter cette histoire, mais, curieusement, c'est un peu moi qui ai tout déclenché. Un genre d'effet papillon. Vous savez, ce truc comme quoi un papillon qui bat des ailes quelque part peut déclencher une tempête à l'autre bout du monde ? Vous voyez ce que je veux dire ? Même si, cette fois-ci, on devrait plutôt parler d'« effet sphinx ».

Voici ce qui s'est passé. Le jour de la rentrée, Mme Porterfield, notre prof de SVT, nous a laissés choisir à quelle table on voulait s'asseoir. On est deux par table, et celui qui s'assoit avec vous fera aussi équipe avec vous.

Quand je suis arrivée dans la salle, la plupart des places étaient déjà prises, mais il n'y avait personne à côté de Dennis. Rien d'étonnant. Je ne dis pas ça méchamment, parce qu'on EST amis. J'habite à côté de chez lui et j'ai fini par le connaître. Mais la plupart des gens normaux ne le connaissent pas et n'ont pas vraiment envie que ça change.

Je voulais donc m'asseoir à côté de lui et je partais dans sa direction quand Amy s'est levée, au premier rang, et m'a appelée. Elle m'avait gardé une place.

AMY

J'aurais pu aller m'asseoir avec Dennis quand même, et cette histoire n'aurait jamais eu lieu. Mais ça aurait été grossier vis-à-vis d'Amy, alors j'ai fait demi-tour pour aller m'asseoir à côté d'elle – ce qui était un peu grossier vis-à-vis de Dennis, mais il n'a même pas eu l'air de le remarquer.

Finalement, pour le dernier arrivé en classe, il ne restait plus que la place à la table de

Dennis. Et devinez qui a débarqué en dernier ?
Harvey.

Bon, dans sa situation, la plupart des élèves se seraient assis à côté de Dennis sans rien dire. Ils auraient râlé après, mais ils l'auraient bouclée devant lui.

Pas Harvey.

— Vous vous fichez de moi ! s'est-il exclamé carrément fort. C'est vraiment la seule place qui reste ?

Franchement, je crois que presque tout le monde a été soulagé que ce soit la dernière, parce que ça aurait été encore pire de se retrouver avec Harvey que de se retrouver avec Dennis.

— Harvey, assieds-toi, s'il te plaît, a dit Mme Porterfield.

— Je ne vais quand même pas devoir garder cette place toute l'année, si ? a-t-il gémi.

— Je suis certaine que je peux t'en trouver une dans le bureau de Mme Rabbski, a lancé Mme Porterfield.

Elle se révélait assez bonne pour ce genre de plaisanteries.

Mme
PORTERFIELD

Harvey a poussé un soupir aussi exagéré que ridicule et s'est laissé tomber sur la chaise à côté de Dennis en glissant :

— T'as pas intérêt à chercher la petite bête avec moi.

— En fait, est encore intervenue la prof, nous n'allons faire que cela pendant les semaines à venir : chercher la petite bête. Quelqu'un peut-il deviner pourquoi ?

Personne n'a su répondre.

— Parce que le premier chapitre que nous allons traiter porte sur les insectes. Et nous profiterons du beau temps pour aller en chercher dehors.

— Du beau temps ? a gémi Harvey. Il fait trente-cinq degrés, dehors.

— Une fois de plus, Harvey, a relevé Mme Porterfield, si le bureau de la principale te paraît plus confortable, je peux faire en sorte que tu y passes beaucoup de temps.

Mme Porterfield commençait à me plaire. Peut-être que c'était la personne qui clouerait enfin le bec à Harvey.

Le lendemain, on a commencé la collecte d'insectes.

Mme Porterfield a expliqué que quand elle apprenait la biologie, les élèves avaient des flacons de poison pour tuer les insectes qu'ils attrapaient. Et qu'ensuite, ils les fixaient dans des boîtes avec des épingles.

Apparemment, les autorités scolaires ont décidé que le poison était trop dangereux, et les épingles aussi. Et puis la prof a ajouté que la nature vivante était beaucoup plus intéressante à étudier.

Elle avait apporté un appareil photo numérique équipé d'un drôle de dispositif. Quand on attrapait un insecte, on le mettait dans une espèce de petit bocal en plastique et l'appareil prenait un cliché en gros plan. Ensuite, on pouvait relâcher la bestiole et mettre la photo sur le compte Flickr créé pour la classe.

– Si chacun de vous capture un minimum de trois insectes, nous aurons dans les soixante-quinze photos, a précisé la prof. Mais le plus dur sera d'attraper soixante-quinze insectes DIFFÉRENTS. Ça ne servirait à rien d'avoir soixante-quinze clichés de la même espèce de fourmi.

Tout à coup, Dennis a levé la main – pas pour poser une question. Il avait Origami Yoda planté sur le doigt, et la marionnette a annoncé :

– Un sphinx colibri nous attraperons.

Quand Dennis se sert d'Origami Yoda, il prend une voix légèrement différente selon qu'il donne un ordre, constate un fait ou prédit l'avenir. Cette fois, c'était indéniablement la voix vague de la prédiction.

– Ha ha, a ricané Harvey.

Puis il a brandi son Kraft Vador :

– Tes pouvoirs s'estompent. Tu ne captureras jamais de sphinx colibri.

– Eh bien, a repris Mme Porterfield comme s'il n'y avait rien de plus naturel que des marion-nettes à doigt en train de discuter dans sa classe, il est vrai que les sphinx colibris ne sont pas très courants. Mais un élève a réussi à attraper un sphinx de nuit, l'année dernière.

– Un sphinx colibri nous trouverons, a insisté Origami Yoda en prenant sa voix à énoncer les faits.

– Écoute, Dennis, a répliqué Harvey de sa voix geignarde normale, j'ai fait une colo Nature, cet été, où j'ai étudié l'entomologie pendant quinze jours. Et je peux te dire qu'on n'a même pas VU un seul sphinx colibri de toutes les vacances.

– Un sphinx colibri nous verrons, a répété Origami Yoda de sa voix la plus autoritaire.

Ton cerveau s'estompe aussi, vieillard ! a fait Kraft Vador.

– C'est bon, les a interrompus la prof. Cessons de perdre du temps à parler de ce que nous allons trouver. Sortons et commençons à chercher. Inutile de se focaliser sur un insecte en particulier, Dennis. Tous les insectes que tu pourras capturer seront utiles, et pas uniquement le sphinx colibri.

Chaque équipe a reçu un filet, et on est tous partis chercher des insectes autour du terrain de foot. Il faisait assez chaud, mais c'était quand même marrant.

— Si vous attrapez une abeille, gardez-la bien dans votre filet et attendez-moi ! nous a recommandé Mme Porterfield alors qu'on commençait à s'éparpiller.

Enfin, sauf Dennis et Harvey, qui étaient toujours près de la porte du collège à se disputer pour savoir qui prendrait le filet.

Amy et moi, on a été les premières à capturer un insecte. C'était un papillon. La prof a pris une photo et a précisé qu'on se servirait d'un guide pour l'identifier plus tard.

— C'est un monarque, a décrété Harvey.

— C'est bon, Harvey, a répliqué Mme Porterfield. Il faut que tu captures toi-même un insecte au lieu de déranger les autres équipes.

— Et comment je fais pour capturer des insectes si Dennis ne me passe pas le filet ?

La prof a soupiré, et j'étais vraiment contente de ne pas m'être retrouvée avec Harvey.

Ça a continué comme ça pendant toute la semaine. Tout le monde attrapait des insectes, et Harvey se plaignait sans arrêt en essayant

d'identifier ceux des autres et en répétant à
Dennis qu'il n'attraperait jamais de sphinx
colibri.

Dennis s'est révélé le meilleur chasseur
d'insectes de la classe. Au lieu de courir dans
tous les sens, il avançait tout doucement et
puis soudain – splatch ! – il en piégeait un.

Mais même s'il a réussi à attraper sept sortes
de papillons différents et une mante religieuse,
il n'a pas pris un seul sphinx colibri.

Dès que Dennis capturait quelque chose,
Harvey tapotait le filet et criait quelque
chose du genre :

– Un machaon jaune. J'avais bien dit que ça
ne serait pas un sphinx colibri !

On en a bientôt tous eu ras le bol. Harvey
avait l'air de croire que tout ce qui nous
intéressait, c'était de savoir si Dennis avait
attrapé un sphinx colibri ou pas.

À la fin de la semaine, effectivement, on
aurait bien voulu. Amy, moi et quelques autres,
on a essayé nous aussi d'en dégotter un pour
le donner en douce à Dennis.

Mais le vendredi est arrivé et on n'en avait toujours pas vu un seul. En fait, je n'étais même pas sûre de savoir à quoi ça ressemblait.

Et, alors qu'il ne restait plus qu'une dizaine de minutes à chercher et qu'on courait tous partout pour tenter d'en trouver un, Dennis se tenait parfaitement immobile, son filet à la main. Harvey avait renoncé à le lui prendre, et il essayait de dégotter des insectes à mains nues en retournant des pierres.

Tout à coup, il y a eu un bzzzzzzzzzzzzz et un TWIP avec le filet, et Dennis a attrapé quelque chose. Puis il s'est approché tranquillement de Mme Porterfield.

Il y en avait qui s'en fichaient mais Amy, moi et quelques autres, on mourait d'envie de savoir si c'était un sphinx colibri. En tout cas, c'était vraiment gros et ça bourdonnait. La prof a eu du mal à sortir la bestiole du filet pour la faire entrer dans le bocal de l'appareil photo. Finalement, elle y est arrivée, et l'insecte s'est posé sur le fond du récipient, parfaitement immobile. Il était d'une beauté incroyable, avec des ailes transparentes et luisantes et cette espèce de trompe retroussée sur un corps rond et duveteux.

– Qu'est-ce que c'est ? a demandé Harvey en essayant de regarder par-dessus mon épaule.

– C'est un sphinx colibri, Vador Gros Malin, lui a répondu la prof.

Le lendemain, Mme Porterfield a accroché un tirage de la photo du sphinx colibri sur le mur, et il y est toujours. Et ça a cloué le bec de Harvey – du moins en cours de SVT.

Commentaire de Harvey

Ce n'est pas du tout comme ça que ça s'est passé. La vérité, vous n'en avez plus rien à faire, mais je vous la donne quand même : je défie n'importe qui de faire équipe avec Dennis en SVT sans finir par se plaindre.

Mon commentaire : Dennis me paraît être l'équipier parfait. Il a attrapé plein d'insectes, et, au bout du compte, vous avez eu un A en SVT.

Je regrette juste de ne pas faire équipe avec Sara. Je la vois à peine, cette année !

MIKE

ORIGAMI YODA ET PAS DE JEUX VIDÉO

PAR MIKE

Chère commission académique,

Tous les matins, avant les cours, mes copains Lance, Hannah, Murky et moi, on va sur les ordinateurs du CDI pour jouer à un jeu en ligne génial : Clone Wars Striketeam. On joue tous en même temps, et, si on veut gagner, il faut coopérer.

Il y en a d'autres, comme Harvey, Remi et Ben, qui jouent aussi, ou qui consultent leur boîte mail ou qui vont sur Facebook. C'est une façon plutôt cool de commencer une journée de classe.

COOPÉRONS !

APPRENONS DES DISCIPLINES IMPORTANTES !

Ou du moins, ça l'était.

Oh, et puis ça nous apprend aussi plein de choses intéressantes sur le travail d'équipe, la planification, les maths, la coordination œil-main et autres disciplines importantes qui contribuent à notre éducation et ont probablement amélioré nos performances aux évaluations nationales des acquis.

Et puis, un jour, il y a environ un mois, on est arrivés au CDI, et il y avait des affiches partout qui disaient :

PAS DE COURRIELS

PAS DE CHAT

PAS DE FACEBOOK

PAS DE JEUX VIDÉO ! ! !

On s'est assis pour jouer quand même, mais on n'a pas pu se connecter au site Internet. C'est à ce moment-là que Mme Calhoun est venue nous dire que la nouvelle politique de la bibliothèque interdisait les jeux. Elle a expliqué que le site de Clone Wars Striketeam avait été bloqué, comme plusieurs autres. Et elle a ajouté que si on trouvait un site qui n'était pas bloqué, on

MME
CALHOUN

n'aurait pas le droit de jouer non plus, et que si elle nous y prenait, elle nous chasserait du CDI.

J'ai voulu discuter avec elle, mais ce n'était pas une très bonne idée, parce que j'ai tendance à m'énerver quand je me lance dans une discussion.

Mme Calhoun m'a envoyé au bureau de la principale. Mme Rabbski a dit qu'elle était très déçue que je me mette à pleurer pour des jeux vidéo, et qu'une heure de colle m'aiderait peut-être à me calmer. J'ai essayé de lui expliquer la différence entre pleurer de rage et pleurer comme un bébé, mais on ne m'écoute jamais !

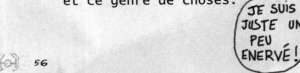

NOUS REVOILÀ

OUIN OUIN

RAGE

Rabbski a ajouté que la décision d'interdire les jeux ne relevait pas de la bibliothécaire, de toute façon, mais de la commission académique, qui avait fixé les nouvelles règles.

Alors, chère commission, on voudrait premièrement que vous renonciez à l'interdiction des jeux. Les jeux auxquels nous jouons sont très stratégiques et pédagogiques. Un peu comme les échecs, mais avec des sabres lasers et ce genre de choses.

JE SUIS JUSTE UN PEU ENERVÉ !

Deuxièmement, je vais vous raconter ce qui s'est passé ensuite...

Pendant que j'étais en retenue, j'ai pris conscience que j'aurais dû demander conseil à Origami Yoda avant d'agir.

Ma retenue s'est terminée juste à temps pour la cantine, alors je suis allé voir Dennis avec Murky.

– Origami Yoda, qu'est-ce qu'on doit faire pour que Mme Calhoun nous laisse rejouer ?

– Vous laisser jouer elle veut bien.

– Non, elle veut pas. Elle a mis une affiche.

– Cette affiche j'ai vu. Pas de jeux vidéo, il est écrit.

– Oui, c'est bien ce que j'ai dit.

– D'autres jeux il y a.

– Quoi ? Tu veux parler de jouer aux échecs ou ce genre de trucs ? C'est super ennuyeux !

– C'est pas ennuyeux, les échecs, a protesté Dennis.

– Ouais, eh bien comparé à Clone Wars Strike-team, ça l'est. Et n'oublie pas qu'ils ont déjà interdit les jeux de cartes. Pas de cartes de magie et encore moins de Pokémon.

– Un autre genre de jeux il y a, a fait Yoda en prenant un air carrément inspiré. Le demander tu dois à M. Snider.

M. Snider était mon prof de littérature de l'année dernière. Comme il était sympa, je me suis dit que ça ne coûtait rien de lui poser la question.

On est passés dans sa salle après les cours. Il nous a dit que quand il était jeune, à la fin des années 1970, on ne pouvait pas jouer aux jeux vidéo au collège parce qu'il n'y avait pas d'ordinateurs. Et qu'on n'avait pas encore inventé les Pokémon non plus.

M. SNIDER

Mais il nous a raconté qu'il avait Star Wars et qu'il jouait à la guerre des étoiles avec ses copains.

– Eh ben, a-t-il dit. Ça fait des années que je n'avais pas repensé à ce jeu.

Il a pris une feuille de papier et dessiné l'Étoile de la Mort, au milieu. Ensuite, il a tracé trois chasseurs X-Wing* dans un coin, et trois chasseurs TIE* dans un autre. Et il a ajouté quelques astéroïdes.

- Euh, c'est vraiment un jeu ? a questionné Murky.

- Oui, tu vas voir, a répondu M. Snider en sortant un crayon d'un tiroir. Tu veux être Rébellion* ou Empire* ?

- Rébellion, a dit Murky.

- D'accord. Alors je prendrai les chasseurs TIE, a dit M. Snider.

Il a posé la mine du crayon sur un chasseur TIE, puis il a coincé le crayon en posant un doigt sur la gomme. Ensuite, il a plissé les yeux en regardant la feuille, il a placé l'autre main derrière le crayon et il a shooté dedans avec son index, tout près de la pointe.

Le crayon a valdingué en laissant une marque de près de trois centimètres sur le papier.

- Hum, j'ai perdu la main, a commenté M. Snider. Mais tu vois comment ça marche ? Si ton trait touche un autre vaisseau, celui-ci explose. Sinon, tu avances ton propre vaisseau jusqu'au bout du trait. Le premier qui fait sauter tous les vaisseaux de l'adversaire a gagné.

LE VAISSEAU EXPLOSE

PASSE UN TOUR

ASTÉROÏDE

Il y avait encore d'autres règles : quand on touche l'Étoile de la Mort, on explose ; quand on touche un astéroïde, on passe son tour.

M. Snider a ramassé le crayon et il l'a tendu à Murky en disant :

— À toi de jouer.

Je les ai regardés disputer une bataille de l'espace autour de l'Étoile de la Mort. J'avais super hâte qu'ils terminent pour faire une partie avec Hannah. C'était carrément terrible.

Le truc, c'est qu'on ne peut pas juste tirer à côté comme dans les jeux vidéo. Là, si tu rates l'adversaire d'un centimètre, ton vaisseau avance jusqu'au bout du trait, et devient une cible super facile pour l'adversaire en question quand c'est son tour de tirer. Ça demande vraiment de la stratégie.

C'est comme ça que la Guerre des Crayons a commencé. Un petit groupe d'autres élèves s'est mis à jouer aussi, et on a ajouté plein de règles supplémentaires, des joueurs et des vaisseaux spéciaux avec des rôles bien définis et tout ça.

TU SAIS, MOI ET LES PROBABILITÉS...

HOURRA !

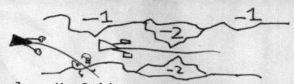

En plus, M. Snider nous a appris un autre jeu avec des crayons qui s'appelle la Course d'Obstacles, et Murky a tout de suite vu que ce serait super pour faire des courses de Podracers*, comme dans *Star Wars*, Épisode I. C'est trop cool de jouer à quatre en essayant de faire avancer son Podracer dans le Canyon du Mendiant sans toucher les parois ni se toucher les uns les autres !

Bref, je veux dire que j'ai toujours envie que vous, enfin, les membres de la commission académique, vous nous laissiez rejouer sur les ordinateurs, mais en attendant c'est une solution géniale.

Commentaire de Harvey

Ouais, et c'est « terrible » d'essayer d'étudier au CDI pendant qu'une bande d'idiots balancent des crayons en criant : « Ouh, ouh, je t'ai eu ! »

Les jeux de crayons, ça craint vraiment ! Rendez-nous les jeux en ligne !

Mon commentaire : Harvey est furax parce que la seule fois où il a joué, Hannah a fait sauter tous ses chasseurs TIE avant qu'il puisse dégommer un seul de ses X-Wings.

Je ne veux pas revenir sur cette histoire de déterminer si Origami Yoda existe vraiment ou pas, mais c'est quand même dingue que Dennis/Yoda ait su que M. Snider connaissait ce jeu alors que lui-même n'y avait pas repensé depuis des années, non ?

Quoi qu'il en soit, je suis sûr que ça va plaire à la commission, parce que ça montre que Dennis a aidé les autres à trouver mieux à faire que de jouer aux jeux vidéo ou de se plaindre de ne pas jouer aux jeux vidéo. Notre conseiller d'orientation nous parle toujours de « solutions positives ». Je trouve que c'en est une. Je regrette juste de ne pas avoir été là.

ÉTAPE 1 : FABRIQUER UN PLATEAU DE JEU

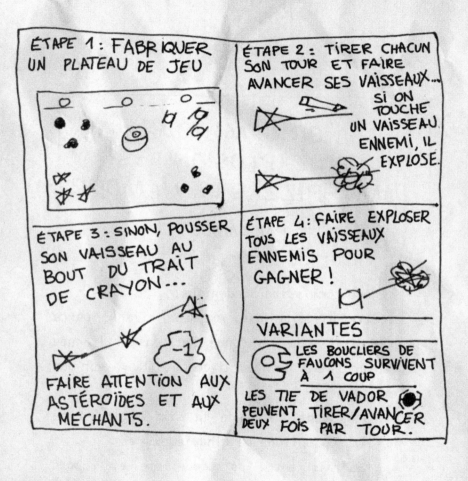

ÉTAPE 2 : TIRER CHACUN SON TOUR ET FAIRE AVANCER SES VAISSEAUX... SI ON TOUCHE UN VAISSEAU ENNEMI, IL EXPLOSE.

ÉTAPE 3 : SINON, POUSSER SON VAISSEAU AU BOUT DU TRAIT DE CRAYON...

-1

FAIRE ATTENTION AUX ASTÉROÏDES ET AUX MÉCHANTS.

ÉTAPE 4 : FAIRE EXPLOSER TOUS LES VAISSEAUX ENNEMIS POUR GAGNER !

VARIANTES

LES BOUCLIERS DE FAUCONS SURVIVENT À 1 COUP

LES TIE DE VADOR PEUVENT TIRER/AVANCER DEUX FOIS PAR TOUR.

LANCE

ORIGAMI YODA ET L'EXPLOSION DES MINI-PIZZAS DE L'AMOUR

PAR LANCE

Chère commission académique,

Cette histoire est vraiment bizarre parce qu'Origami Yoda m'a donné son conseil l'année dernière, mais je n'en ai compris la valeur que cette année.

Juste avant la fin de la sixième, on a dû choisir nos options de cinquième.

J'hésitais entre astromodélisme et robots LEGO. D'un côté, j'ai déjà un kit robot LEGO à la maison et j'ai fabriqué des trucs super avec. Donc, je me disais que ce serait sympa de

prendre ce cours-là. Mais d'un autre côté, j'ai toujours rêvé de faire voler une maquette de fusée, et ma mère n'a jamais voulu. Alors je lui ai demandé si elle serait d'accord pour que je prenne ce cours, vu qu'avec Mme Budzinski, elle était sûre que je ne me ferais pas exploser ET elle a dit oui.

Pourtant, je n'arrivais toujours pas à me décider. Du coup, je me suis dit que j'allais demander à Origami Yoda. Je me suis arrêté à la table des tocards, à la cantine. Je crois bien que je suis un tocard, moi aussi, mais je ne peux pas m'asseoir à leur table parce qu'il y en a un, dans cette bande, qui me tape vraiment sur le système.

– Salut, les gars, et salut, Origami Yoda, j'ai dit. D'après vous, qu'est-ce que je dois prendre : astromodélisme ou robots LEGO ?

Dennis a fait remarquer que je ne pourrais peut-être pas m'inscrire en astromodélisme, parce que tout le monde voulait prendre ça.

Et puis, une seconde plus tard, il a ajouté – mais cette fois en imitant comme d'habitude très mal maître Yoda :

- Par ordre alphabétique les inscriptions ils prendront. Lance Alexander ce qu'il veut peut choisir.

- Tu veux dire que, juste parce que mon nom commence par un A, je peux choisir n'importe quelle option ? C'est génial, j'ai dit. Alors, je prends quoi : les fusées ou les robots ?

- Économie domestique et éducation familiale prendre tu devrais, hmm ? a répliqué Yoda.

- C'est quoi, ça ?

- C'est genre apprendre à faire la cuisine, à coudre et à se servir des coupons de réduction, a expliqué Kellen.

- Oh, tu veux parler des cours d'instruction ménagère. C'est pas juste pour les filles ? j'ai demandé.

- Pardon ? a hurlé Rhondella, à la table voisine. Non, c'est pas réservé aux filles. C'est pour tous ceux qui ne veulent pas être des demeurés complets quand ils auront terminé leurs études.

Au regard que m'ont jeté toutes les filles, j'ai compris qu'elles me rangeaient déjà dans la catégorie des Demeurés Complets en Puissance. Que

Rhondella me fusille du regard, ça m'était bien égal, mais ça m'a fait un coup de voir qu'Amy me considérait de la même façon. Je croyais qu'Amy m'aimait bien.

Résultat, je ne savais plus trop où j'en étais. Le lendemain, quand M. Howell, notre prof principal, a distribué les formulaires pour qu'on coche nos choix, je n'étais toujours pas décidé.

Je me suis retourné pour demander à Dennis si Yoda était sûr, pour cette histoire d'instruction ménagère. Il était déjà en train de faire un Amiral Ackbar* en origami avec sa feuille.

– Dennis, j'ai chuchoté. Pourquoi l'instruction ménagère ?

Il a levé Origami Yoda et il a commencé :

– hmmm...

– Dennis ! s'est écrié M. Howell. Combien de fois faudra-t-il te répéter de ranger cette marionnette ? Et qu'as-tu fait de ton formulaire ?

– Lancez l'assaut sur le réacteur principal de l'Étoile de la Mort, a ordonné l'Amiral Ackbar en papier.

M. HOWELL

Howell a encore crié un moment, et puis il a
envoyé Dennis en retenue.

– Les autres, faites passer vos feuilles au
premier rang, a-t-il aboyé.

Il ne me restait plus de temps, et Yoda n'était
plus là pour m'aider.

Mais je crois en lui, alors j'ai coché la case
« Économie domestique et éducation familiale ».

C'était donc avant les vacances. Que s'est-
il passé depuis ? Est-ce que je préfère Économie domestique et éducation familiale à ce
qu'auraient pu être Astromodélisme ou Robots
LEGO ?

Eh bien, attendez – je vais vous le dire. Le
premier jour, quand je suis arrivé au cours, on
n'était que deux mecs. Moi et Patate Ronde. Bon,
c'est pas qu'on soit super potes ni rien, mais
je me suis dit qu'on pourrait faire équipe en
cuisine ou un truc de ce genre. Tu parles ! Il
m'a à peine regardé et il s'est assis à côté de
Sara !

Et puis Amy est arrivée, et comme la chaise
voisine de celle de Sara était prise, elle m'a
regardé. On s'est assis ensemble et, depuis, on

fait équipe sur tous les projets. Elle ne m'a plus jamais regardé comme un Demeuré Complet en Puissance, sauf la fois où nos mini-pizzas ont explosé dans le micro-ondes parce que je les ai laissées 3 min au lieu de 0,3 min. Mais là, elle a rigolé tout de suite et m'a aidé à tout nettoyer.

Commentaire de Harvey

Boba Fett* en soit loué, je n'ai pas pris cette option ! ! ! Si j'avais dû observer Amy et Lance en train de se faire les yeux doux pendant qu'ils nettoyaient leur sauce pizza dans le micro-ondes, j'en aurais gerbé ma matière grise.

Vous voulez connaître la vérité cachée derrière la mystérieuse prédiction de la Boulette de papier Yoda ?

Dennis avait peur de ne pas pouvoir s'inscrire au cours d'astromodélisme vu qu'il s'appelle Tharp. Alors il a convaincu Lance, et probablement d'autres imbéciles, de ne pas s'inscrire. Et devinez quoi ? Dennis fabrique des maquettes de fusée, maintenant.

Mon commentaire : hum, c'est vrai que Dennis s'est inscrit en astromodélisme. Mais franchement, je regrette qu'Origami Yoda ne m'ait pas conseillé de prendre Instruction ménagère : c'est moi qui aurais fait équipe avec Sara au lieu de ce craignos de Patate Ronde.

Comment pourrait-elle devenir ma copine alors que je ne la vois presque pas et qu'elle passe ses journées à faire des mini-pizzas avec Patate Ronde ?

JE TROUVAIS QUE HOWELL RESSEMBLAIT À JABBA... MAIS MAINTENANT, JE M'APERÇOIS QU'IL RESSEMBLE DAVANTAGE À UN RANCOR*!

MURKY!

ORIGAMI YODA ET YODA

PAR MAHIR KAHLIL (AKA MURKY)

Commission académique,

L'autre jour, après avoir regardé *L'empire contre-attaque* pour la dix-millième fois – ce film est incroyablement flash !!!!! – je pensais à Yoda. S'il avait 900 ans dans *L'empire contre-attaque*, ça veut dire qu'il avait, mettons, 870 ans dans *La Menace fantôme*. Alors, qu'est-ce qu'il a fabriqué pendant tous les siècles d'avant les films ? Et d'où est-ce qu'il vient ????

J'ai regardé sur Wookiepédia… J'ai trouvé des trucs, mais, apparemment, personne ne sait vraiment ! George Lucas ne veut rien dire, et il refuse que les autres scénaristes de *Star*

Wars parlent. Mais ensuite, je me suis dit que je n'avais pas forcément besoin de George Lucas. Je vais au collège avec Origami Yoda. S'il y a quelqu'un qui sait, c'est sûrement lui !!!

Je lui ai donc posé la question.

MOI : D'où est-ce que tu viens ? Et je ne parle pas de la planète Dagobah*. Ce que je veux dire c'est, d'où es-tu originaire ?

ORIGAMI YODA (D'un arbre.)

MOI : Quoi ? Tu veux dire que ton espèce vit dans les arbres ? Comme les singes ? Ou les Ewoks* ?

ORIGAMI YODA : Non, d'un arbre originaire je suis. Et ensuite de l'entreprise de papier pour origamis Asami.

MOI : Oh !

UN PÉNIBLE DE 5ᵉ QUI S'APPELLE HARVEY : Ha ! Ha ! La vérité ! Enfin la vérité ! Origami Yoda avoue lui-même qu'il n'est qu'un bout de papier.

TOMMY, L'AMI DE KELLEN : Peut-être, mais tu admets enfin son existence puisque tu viens de dire qu'Origami Yoda avait LUI-MÊME avoué.

HARVEY : Ha ! Ha ! Tu sais très bien ce que
j'entends par là. On peut dire ce qu'on veut,
ce n'est qu'un bout de pâte à papier tirée d'un
arbre abattu. Aucune force magique, rien qu'un
morceau d'arbre.

ORIGAMI YODA : La Force est une sorte de fluide
créé par tout être vivant... les plantes, les
animaux... les gens, les wookies*, les arbres.

HARVEY : Et tout le reste.

MOI : Mais, pour le vrai Yoda ?

HARVEY : Il n'y a pas de vrai Yoda, c'est juste...

MOI : Dis donc, tu peux la fermer une seconde ?

HARVEY : Pourquoi je devrais la fermer ? C'est
ma table, ici. Si t'as pas envie de m'entendre,
t'as qu'à aller ailleurs.

KELLEN : Ce n'est pas TA table, Harvey, c'est...

HARVEY (en se mettant une marionnette Dark Vador
sur le doigt) : Ne m'oblige pas à te détruire !

ORIGAMI YODA : Trop de bruit ici il y a. Viens,
une glace chercher.

On est allés faire la queue pour acheter des
Esquimau.

ORIGAMI YODA : Garder un secret tu sais ?
Sans jamais rien divulguer ?

MOI : Oui, juré, craché.

C'est là qu'Origami Yoda m'a murmuré la réponse à l'oreille, et ça a été le stouke complet !!! Ça colle parfaitement avec tout le reste de la saga *Star Wars*, et ça éclaire un tas de choses tout en étant vraiment bluffant.

Mais j'ai promis de ne rien dire.

Commentaire de Harvey

Oh ! pitié ! Je suis censé croire ça ? Cela ne prouve qu'une chose : Murky aurait dû redoubler une année, voire deux... « Incroyablement flash » ? « Le stouke complet » ? C'est quoi, ce charabia ?

Mon commentaire : Je crois qu'il faut comprendre que c'était vraiment dingue. Mais effectivement, je ne suis pas certain que ça fasse beaucoup avancer notre affaire.

CAROLINE

ORIGAMI YODA ET LE REMÈDE MIRACLE

PAR CAROLINE

Chers membres de la commission académique,

Cette année, je suis élève à l'Académie Tippett, mais l'année dernière, j'étais au collège McQuarrie, où j'ai eu le merveilleux privilège de rencontrer Dennis Tharp et de devenir son amie.

Il m'a aidée à résoudre un gros problème là-bas, et il m'a aidée à régler un problème très différent cette année, dans mon nouvel établissement.

« Comprendre nos différences », c'est un peu le cheval de bataille, dans mon nouveau collège. Mais comme cette fois, c'est moi qui suis différente, c'est très enquiquinant.

J'ai un grave problème d'audition, vous comprenez. Mon orthophoniste dit que je suis atteinte de surdité sévère – le stade d'avant la surdité profonde. J'entends quand même plein de choses avec mon appareil auditif, et je lis sur les lèvres comme un ninja. (Je ne dis pas que les ninjas lisent sur les lèvres, mais juste que je suis vraiment très rapide et très bonne pour ça.)

Bref, je m'en sors très bien sans régime de faveur. Je n'en avais pas à McQuarrie. Les gens étaient habitués à moi et personne n'en faisait tout un plat.

Alors qu'à l'Académie Tippett, TOUT LE MONDE en a fait tout un plat.

Chacun voulait tellement montrer qu'il « comprenait ma différence », que ça ne me donnait aucune chance d'être normale.

Il y en avait même qui suivaient des cours de langue des signes et qui n'arrêtaient pas de s'adresser à moi comme ça. Je ne connais même pas le langage des signes ! J'avais beau leur répéter que je lis sur les lèvres, ils continuaient de m'agiter leurs doigts sous le nez.

Le pire, c'est qu'il y en avait qui se bat-
taient presque pour être mes amis. En fait,
c'était surtout pour montrer aux autres qu'ils
étaient amis avec quelqu'un de « différent ».

J'en ai vite eu assez et, un soir où j'appelais
Dennis, je lui en ai parlé. (Au cas où vous vous
poseriez la question, j'arrive à téléphoner si
on peut monter le son de l'appareil. J'ai encore
des difficultés pour entendre certains timbres de
voix, mais je comprends Dennis sans problème.)

DENNIS : Pourquoi tu ne demanderais pas à
Origami Yoda ?

MOI : Allez, Dennis, dis-moi juste ce que je
dois faire. Tu n'as pas besoin de passer par
Origami Yoda avec moi.

DENNIS : Mais je ne sais pas ce que tu dois
faire. Origami Yoda, lui, il saurait.

MOI : Tu rigoles ?

DENNIS : Non. Il faut vraiment que tu
l'interroges lui.

MOI : Au téléphone ?

DENNIS : Je ne crois pas que ça marcherait.
Il a besoin d'être en face de toi.

MOI : D'accord. Demande à ta mère de te conduire au Wendy's. Je te retrouve là-bas.

Puisqu'on ne peut plus se voir au collège, une fois de temps en temps, on se retrouve au Wendy's. Mon père appelle ça nos rencards. Mais ça n'en est pas. Pas exactement.

Bref, au Wendy's, Dennis prend un menu enfant, et moi, une salade complète.

Dès qu'on s'est assis, Origami Yoda m'a dit :

– Leur annoncer qu'un traitement miracle, tu as trouvé, tu devrais.

– Mais il n'existe pas de traitement miracle ! Mon toubib dit…

– De traitement, tu n'as pas besoin, m'a interrompue Origami Yoda. Juste leur dire tu dois.

– Eh ! Est-ce que ça signifie que je dois juste leur dire que je suis guérie ?

– Oui, je crois, a répondu Dennis sous la table. Tu as vu ce périscope ? C'est le jouet cadeau le plus cool de tous les menus enfants. Je te vois !

Puis, il a levé Origami Yoda.

– De pansements, tu vas avoir besoin.

Lundi, en arrivant au collège, je suis tombée sur Willow. Elle a crié :

– BON-JOUR, CA-RO-LINE !

– Ce n'est plus la peine de hurler, je lui ai dit. L'opération a parfaitement réussi.

Je lui ai montré les deux pansements sur mon front.

– QUOI ? a-t-elle demandé.

– Chut ! Tu me fais mal aux oreilles ! J'entends même mieux que la normale, maintenant.

– C'est vrai ?

C'était tellement plus facile pour moi de lire sur ses lèvres quand elle ne criait pas en détachant exagérément les syllabes.

– Oui, je ne suis plus sourde.

– Pourtant, tu as encore ton appareil auditif.

Elle a dit ça sur un ton plein d'espoir, comme si elle souhaitait que je reste encore un peu

« différente », afin qu'elle puisse continuer à me « comprendre ».

– Mon médecin dit que je dois les garder encore un moment pour que mes oreilles ne se dérèglent pas à nouveau.

Ça n'avait aucun sens, bien sûr, mais pas moins que de me parler en hurlant, et c'est bien ce qu'elle faisait avec moi depuis trois semaines.

Au bout d'une semaine, j'ai retiré mon appareil auditif et ça a réglé le problème. J'étais encore un peu « différente », mais plus assez pour qu'on en fasse tout un plat.

Certains, comme Willow, ont arrêté de me prendre la tête, et d'autres, comme Naomi et Emily, sont devenues de vraies amies. Je n'aurais pas cru ça possible.

C'est vrai que je ne comprends pas toujours tout ce qui se raconte, mais au moins je sais qui vaut la peine d'être écouté et avec qui je peux faire semblant d'être attentive, maintenant.

Vous ne pouvez donc pas nier que Dennis et son Origami Yoda aident vraiment les gens. Et si vous renvoyez Dennis de l'établissement, il nous manquera vraiment. C'est un garçon génial.

Bon sang, vous vous imaginez dans un lieu public avec Dennis qui agite ce machin en faisant la pire imitation de Yoda qu'on ait jamais entendue ? Ce serait carrément la honte !

Mon commentaire : D'abord, c'est pas plus la honte que quand tu trimballes ton Kraft Vador. Je dirais même que le fait que tu imites mieux la voix file encore plus la honte.

Ensuite, tu es une fois de plus passé à côté du sens même de cette histoire.

ENCORE UN RENCARD
CHAUD BOUILLANT
AVEC DENNIS !

QUAVONDO

ORIGAMI YODA ET RIEN

PAR QUAVONDO

Chère commission académique,

Mon histoire sur Origami Yoda commence avec M. Propreté et son singe Savonnette.

C'est quand même drôle : quand un ado se promène avec une marionnette, on veut l'envoyer en Établissement de Réinsertion Scolaire, et quand c'est un adulte, on le paye pour venir nous répéter de nous laver les mains et ce genre de trucs.

En fait, cette fois-là, M. Propreté n'était pas là pour nous parler d'hygiène comme d'habitude : il était venu faire de la retape pour la collecte de fonds organisée par le collège.

BIENTÔT
UNE COLLECTE
GONFLÉE AU POP-CORN

DES CADEAUX !

DES CADEAUX !

DES CADEAUX !

DES RIRES !

DES RIRES !

DES RIRES !

ÇA VA ÊTRE L'ÉCLATE DE LA PROPRETÉ !!!

M. Propreté et son singe Savonnette reviennent
booster nos ventes de boîtes de pop-corn de collection
pour la grande collecte en faveur du COLLÈGE !

OÙ : À LA CANTINE — QUAND : LUNDI, EN 2ᵉ HEURE

Note : présence obligatoire

– Je me demande quelle saleté on va nous faire vendre, cette année, j'ai glissé à Cassie pendant qu'on allait en salle de gym.

Malheureusement, M. Howell m'a entendu. Je l'avais comme prof, l'an dernier, et il n'a jamais pu me sentir.

– Eh bien, ce n'est pas avec ce genre d'attitude que tu vas vendre quoi que ce soit, a-t-il dit. Viens par ici, jeune homme, s'il te plaît.

Et il s'est mis à me hurler dessus. Je ne sais pas pourquoi, mais c'est encore plus gênant de se faire engueuler par un prof de l'année dernière.

– Sais-tu seulement pourquoi notre établissement organise cette collecte ? Les fonds recueillis servent à financer les matières optionnelles depuis que l'État ne paye plus pour les « cours non essentiels ». Tu comprends ?

J'ai répondu que oui, mais il a dû se rendre compte que je ne voyais pas du tout de quoi il parlait.

– Quel cours facultatif suis-tu ?

– Oh ! mais je ne vais pas encore à la fac, j'ai protesté.

– Mais NON ! Je te parle des matières optionnelles, comme l'orchestre ou le dessin.

– Oh, ça ! j'ai pris l'option Robots LEGO de M. Randall.

Howell a levé au ciel ses terribles yeux jaunes.

– Eh bien, ça va être difficile pour toi de construire un robot en LEGO sans LEGO. C'est ça, vous, les gosses, que vous ne comprenez pas. Il faut bien que l'argent nécessaire à ces cours vienne de quelque part, et …

Par bonheur, M. Propreté et son singe Savonnette sont entrés en scène, et M. Howell m'a laissé m'asseoir.

M. Propreté nous a montré les mini-boîtes de pop-corn qu'on était censés vendre en nous expliquant que chacune était un collector. Il y en avait avec un tableau de petite maison dans une tempête de neige peint par quelqu'un de célèbre. Une autre avec le casque d'une équipe de foot américain dessus. Ou des motos, des chatons ou encore des Indiens d'Amérique. Et il y avait différents parfums de pop-corn.

M. PROPRETÉ

LE SINGE SAVONNETTE

C'EST L'ÉCLATE

On nous a distribué des catalogues qui présentaient tous les modèles. Je n'en revenais pas : genre, QUOI ? Dix dollars la boîte ? Il faudrait qu'on vende du pop-corn dans des boîtes minuscules et toutes moches à 10 dollars ? Sans parler des boîtes de taille normale, à 23 dollars pièce !

10 $

23 $

Ensuite, on nous a fait miroiter les pizzas gratos que gagneraient les meilleures classes. M. Propreté nous a montré un grand pot rempli de pièces de 1 dollar et nous a dit que celui qui aurait vendu le plus de boîtes pourrait en prendre une pleine poignée. Tu parles ! Avec un peu de chance, il en sortirait 10 dollars : de quoi s'acheter une boîte de pop-corn décorée.

YOUPI!

J'ai remarqué que M. Propreté n'avait pas ouvert une seule boîte de pop-corn pour nous faire goûter. Il savait sûrement que ça nous ferait gerber.

Alors, quand je suis allé à mon cours de robots LEGO, j'ai demandé à M. Randall si l'argent de la vente servirait vraiment à payer le matériel.

OUAIS !

Il m'a servi une longue explication sur le financement des options, mais en fait, ça se résumait à « oui ». Il avait l'air gêné qu'on soit obligés de vendre ces boîtes débiles.

M. RANDALL

- Vous vous rappelez quand vous m'avez demandé si on participerait aux championnats régionaux des PREMIERS LEGO ? Je vous ai répondu qu'on verrait...

- Oui.

- Eh bien, ce qu'on attend de voir, c'est combien d'argent la collecte va rapporter.

- Mince, j'ai fait.

Du coup, à la cantine, je suis allé voir Dennis. Il n'a pas le moral, ces derniers temps, parce que sa copine n'est plus là, mais Origami Yoda, lui, n'a rien perdu de sa sagesse de Jedi.

Dennis poussait un bout de pain dans une mare de sauce d'une main et tenait sa marionnette à doigt de l'autre. Je lui ai demandé :

- Origami Yoda, comment faire pour vendre toutes ces boîtes ?

- Trop tard, est intervenu Kellen. On lui a déjà posé la question.

- Et qu'est-ce qu'il a dit ?

– Rien tu dois vendre, ont répondu Yoda, Kellen
et Tommy en même temps.

– Mais on est obligés, j'ai répliqué. Il
semblerait même que ce soit notre seule chance
de pouvoir présenter notre robot LEGO aux championnats.

– C'est vrai, a renchéri Kellen. Mme Richard
nous a dit la même chose en dessin. On doit
vendre cette daube pour acheter du matériel.

– Mais comment faire ? j'ai insisté.

– Rien tu dois vendre, a répété Origami Yoda.

– Oui, Dennis. On a entendu... Ferme-la, maintenant, a hurlé Harvey depuis l'autre bout de
la table. Ton conseil débile est encore plus
débile que d'habitude. Ne m'oblige pas à sortir
Kraft Vador pour te fermer le clapet.

Alors Kellen et Tommy se sont énervés contre
Harvey. Ils n'arrêtent pas de se disputer en
ce moment.

Moi, je me suis mis à réfléchir... Peut-être
qu'Origami Yoda nous donnait vraiment un conseil
utile. C'est ce qu'il fait toujours, non ?

– Tu ne veux pas que je vende quoi que ce
soit, c'est ça ?

Yoda a secoué la tête.

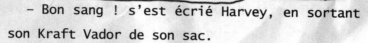

- Non. Rien tu dois vendre.

- Bon sang ! s'est écrié Harvey, en sortant son Kraft Vador de son sac.

Du coup, je suis parti voir s'il y avait une place à la table de Murky. Je ne supporte carrément plus d'entendre parler Harvey.

Après les cours, je suis retourné voir M. Randall en attendant mon car.

- Si je vends une mini-boîte de pop-corn à 10 dollars, quelle somme revient effectivement au collège ?

- Eh bien, pas 10 dollars en tout cas, a répondu M. Randall. Il y a le coût du pop-corn et de la boîte…

- Celui de l'image horrible sur la boîte, j'ai ajouté. Et on paye aussi M. Propreté.

- Et son singe, a confirmé M. Randall avec un drôle de sourire. En fait, a-t-il précisé, j'ai entendu dire que l'établissement ne récoltait que la moitié de l'argent. Mais je ne t'ai rien dit, d'accord ?

JE VEUX MES $$!

– Donc, admettons que j'arrive à convaincre ma grand-mère de soutenir le collège en achetant une mini-boîte de pop-corn – dont elle ne veut même pas – à un prix exorbitant. Le collège n'y gagnera pas plus de 5 dollars ?

– Sans doute.

– Et si je lui vendais juste rien pour 5 dollars ?

– Rien ?

– Oui. Ça lui ferait moins cher que 10 dollars, ça n'encombrerait pas sa maison et ça ne serait pas moche. Et j'obtiendrais la même somme pour le collège.

M. Randall a souri.

– Quavondo, ce n'est pas une mauvaise idée du tout.

– Merci. Mais en fait, elle n'est pas de moi. C'est Origami Yoda qui l'a eue.

Le plus surprenant dans cette histoire, c'est le nombre de personnes qui ont acheté plusieurs riens.

Ma grand-mère, par exemple, m'en a acheté cinq, ce qui faisait 25 dollars de rien.

- Quav, j'ai douze petits-enfants - tu es
mon préféré, bien sûr - et chaque année, chacun
d'eux m'appelle pour me vendre de la *$^# dans
une boîte de collection. Qui collectionne ces
&*%##$ de boîtes ? Pourtant, j'en achète tou-
jours, même si je sais que la majeure partie de
l'argent va d'abord aux crétins qui ont fabriqué
ces &&^\$ de boîtes. Alors, merci à toi de ne pas
m'obliger à en acheter d'autres.

Ensuite, elle a fait venir mon grand-père
au téléphone, et l'idée lui a tellement plu, à
lui aussi, qu'il m'a promis encore 25 dollars.
Ça faisait 50 dollars en un seul coup de fil.
Jamais ils ne m'auraient acheté pour 50 dollars
de pop-corn, et, même s'ils l'avaient fait, il
n'y aurait eu que 25 dollars pour le collège.

Quand j'ai dit à mes voisins et aux amis de
ma mère qu'ils pouvaient soit acheter une boîte
à 10 dollars ou simplement donner 5 dollars au
collège, ils ont tous donné au moins 5 dollars.
Et personne n'a même jeté un coup d'œil sur le
catalogue de pop-corn. Mieux que ça : cette
collecte les a fait rire au lieu de les faire
râler comme l'année dernière.

GRAND-MÈRE
DE QUAV

Au final, j'ai obtenu 135 dollars. Il aurait fallu vendre pour 270 dollars de pop-corn pour obtenir autant, et je n'y serais jamais arrivé. En plus, dans le cas où j'aurais quand même vendu les boîtes, il aurait fallu les livrer aux acheteurs. Et ensuite, tous ceux qui auraient effectivement mangé le pop-corn m'auraient reproché de leur avoir vendu de la camelote.

J'ai raconté aux autres ce que je faisais, et il y en a qui ont essayé aussi. Tous ceux du cours de LEGO, en fait, et on a rapporté plein d'argent. Je pensais qu'on devrait tout garder pour nous, afin d'être sûrs de participer aux championnats, mais M. Randal a expliqué qu'on était obligés de tout mettre dans la caisse de soutien des matières optionnelles.

Bien entendu, quand M. Propreté est revenu distribuer ses récompenses, on n'a rien eu, vu qu'on n'avait pas vendu un seul produit Édu-prop. Mais, un peu plus tard, quand on est retournés au cours de M. Randall, il avait commandé des pizzas pour tous ses élèves avec son propre argent.

Donc, on a vraiment eu quelque chose pour… rien.

Il ne faut pas tout mélanger. D'accord, ces boîtes de pop-corn étaient complètement débiles. Et oui, c'était une idée géniale de vendre du « rien » à la place. Mais cette idée venait-elle vraiment de la Boulette de papier Yoda ? Je ne crois pas, non. La Boulette débitait des inepties, et c'est Quavondo lui-même qui a eu l'idée. C'est une tactique classique de la psychologie de bazar : balancer une idée vague et laisser les gogos croire que ça signifie quelque chose.

Mon commentaire : ARRRRGH ! J'en ai marre que Harvey déforme tout !

Il en est encore à se demander si Origami Yoda est un canular alors qu'on n'en est plus là. L'important, maintenant, c'est de montrer qu'il profite à tout le collège. Dans ce récit, il a poussé des élèves qui ne voulaient pas vendre de boîtes à vendre du rien, et, au bout du compte, on a gagné beaucoup plus que si on avait vendu quelque chose. La commission devrait lui accorder une récompense. Point final.

Il mériterait une récompense pour ce qui suit aussi...

CASSIE

☀ ORIGAMI YODA ET LES ODEURS CORPORELLES AU PAYS DES MERVEILLES

PAR CASSIE

Chère commission académique,

Vous voulez savoir ce que Dennis et Origami Yoda ont fait de super ?

Voilà, on était au club de théâtre. La situation tournait au vinaigre, et c'était sur le point de devenir bien pire encore.

On montait *Alice au pays des merveilles* en comédie musicale, et comme il y a beaucoup de rôles, on a fait jouer des gens qui n'avaient jamais participé à des pièces auparavant. Au fait, moi, j'interprétais le Lapin blanc.

Donc, la pièce avançait plutôt bien et tout,
mais le problème, c'était Lisa, qui jouait le
chat du Cheshire. Elle n'avait jamais fait de
théâtre avant, et aucun de nous ne la connaissait vraiment.

On n'a pas compris tout de suite d'où venait
cette odeur. Mais on n'a pas tardé à se rendre
compte que c'était Lisa. Il faut dire qu'elle
sentait réellement très mauvais.

Et le fait est qu'on passait beaucoup de temps
les uns sur les autres. Il n'y a pas vraiment de
coulisses, vous comprenez, juste un coin pas plus
grand qu'un placard de chaque côté de la scène.
Et il y a des moments où on doit tous attendre là
notre tour de jouer, comme juste avant le grand
« Boogie du Thé chez les Toqués ».

Il y a aussi des moments où on est tous assis
en cercle pour lire le scénario, ou ce genre de
chose. Et il est impossible de se concentrer ou
de se rappeler son texte quand vous avez les
narines en feu à cause d'une odeur épouvantable.

Tout le monde cherchait toujours à s'asseoir
le plus loin possible d'elle, et ça commençait
VRAIMENT à se voir.

95

J'en parlais à voix basse avec mon amie Amy, qui interprétait le jumeau Tweedeldum. Mais certaines filles ont commencé à dire des trucs que Lisa aurait pu entendre. Et Ally, qui jouait Alice, en a même parlé à Mme Hardaway, notre professeur de théâtre, qui a répondu qu'on devait accepter la différence. Bon, je voulais bien essayer, mais ce n'était pas le cas de tout le monde. Et puis un jour, Lisa a été absente, et c'est alors que les choses se sont vraiment dégradées.

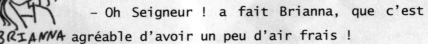

BRIANNA

— Oh Seigneur ! a fait Brianna, que c'est agréable d'avoir un peu d'air frais !

ALLY

— Je sais, a répliqué Ally. On n'aura pas à retenir notre respiration pendant toute la danse du « plus en plus pire » pour une fois.

— Moi, je ne comprends pas comment elle peut sentir aussi mauvais, a commenté Gemini, qui interprétait la Reine de cœur. C'est vrai, quoi, quand mon frère passe une semaine sans se laver, il ne sent pas AUTANT.

À ce moment-là, certains se sont mis à décrire son odeur, et c'était vraiment, vraiment moche.

Harvey a sorti son Kraft Vador et a dit :

— Repoussant. Très repoussant.

Je crois que je suis la seule à avoir reconnu
la citation de *Star Wars*. Ça ne m'a pas fait
rire pour autant.

Il se trouve que Harvey, qui joue le
Roi, est le pire comédien du monde. Mais
comme il n'y a que deux garçons au club
de théâtre, il est toujours sûr d'avoir un
rôle. L'autre garçon, c'est Mike, le Chape-
lier fou. Ce n'est pas un grand comédien non
plus, mais, au moins, il est sympa.

— C'est bon, les gars, ça suffit, a-t-il fait.
Ce n'est pas aussi terrible que ça.

— Si, c'est épouvantable, a insisté Kraft
Vador. Son manque de bains me… consterne.

— Là, c'est de la pure méchanceté, a déclaré Amy.

— Eh bien tu sais ce que je pense ? est
intervenue Ally. Je trouve que c'est tout aussi
méchant de sa part d'empuantir notre pièce. Si
elle veut se conduire comme un porc, elle n'a
qu'à le faire ailleurs.

Mike est parti. Je regrette de ne pas l'avoir
fait aussi, mais je suis restée plantée là,
comme un zombie. En toute franchise, l'odeur me

dérangeait vraiment. Je ne voulais pas blesser Lisa, mais je voulais qu'on trouve un moyen de résoudre le problème.

– Je n'arrive pas à croire qu'il nous reste encore trois semaines de répétitions, s'est lamentée Brianna.

– Il faut qu'on fasse quelque chose, a décrété Ally. Hardaway ne bougera pas le petit doigt, alors si on n'agit pas nous-mêmes, on va devoir subir cette odeur jusqu'à la fin. Pas question.

– Qu'est-ce qu'on peut faire ? a demandé Gemini. L'attaquer à coups de désodorisant ? Le pouvoir du désodorisant est bien peu de chose en comparaison du pouvoir de sa puanteur, a dit Kraft Vador.

Cette fois, Ally et Brianna ont ri, mais je ne suis même pas sûre qu'elles savaient d'où sortait la citation. Je suis intervenue :

– Ferme-la, Harvey. Mike a raison : c'est de la méchanceté pure et simple. Et si l'un de nous allait juste lui parler ?

– Ne comptez pas sur moi, a répliqué Ally. Pas question que je m'approche aussi près.

– Vous allez arrêter ? a protesté Amy. Si on fait quelque chose, il va falloir prendre des mégagants. On devra faire extrêmement attention à ce qu'on dit.

– D'accord, a dit Ally. Mettez tous les gants que vous voulez. Mais si vous n'arrivez pas à l'obliger soit à se laver au jet, soit à quitter le spectacle, je sors le désodorisant.

Mme Hardaway nous a appelés pour répéter « C'est mon Pays des Merveilles », mais comme ni Amy ni moi ne sommes dedans, on en a profité pour continuer à discuter. On n'avait ni l'une ni l'autre envie de parler à Lisa, mais il fallait que quelqu'un s'en charge si on voulait éviter qu'Ally ne le fasse à notre place.

Après la répétition, on a demandé à Mike s'il accepterait de s'y coller.

– Qu'est-ce que je pourrais lui dire ? a-t-il répliqué. Je ne saurais absolument pas comment aborder la question.

Puis il a eu cette idée géniale :

– Pourquoi on ne demanderait pas à Origami Yoda de lui parler ? Il sait toujours quoi dire, lui.

– Ouais, c'est ça, a ricané Harvey. Je suis certain qu'elle le prendra bien mieux si ça vient d'un taré complet avec une marionnette verte sur le doigt.

J'ai protesté :

– On ne t'a rien demandé, Harvey. Et, contrairement à ta marionnette néfaste, Origami Yoda sait ce qu'il fait. Il m'a bien sauvé la mise, l'an dernier !

– À moi aussi, a dit Mike.

– Mais oui, je connais tout de vos petits problèmes pathétiques, a assuré Harvey. Vous me le direz, quand vous voudrez l'aide de Vador.

– Mais oui, bien sûr.

J'ai pris le car avec Dennis, mais je ne voulais pas parler de ça devant tout le monde. Je lui ai demandé si Amy et moi, on pourrait le voir avec Origami Yoda, le lendemain avant les cours. Il a répondu « Indubitablement », et j'ai supposé que ça voulait dire oui.

Le lendemain, on l'a trouvé au CDI, assis par terre devant les encyclopédies, en train de taper sur une boîte de baguettes chinoises avec le tome A-Argentine.

– Hé ! Dennis, tu as apporté Origami Yoda ? j'ai demandé.

Sans rien dire, il a sorti sa marionnette de sa poche et l'a mise sur son doigt.

– Hummm ? a-t-il fait avec sa voix de Yoda ridicule.

Soudain, je me suis sentie complètement stupide de lui demander conseil. S'il ne m'avait pas autant aidée l'année dernière, je serais partie en courant.

– Tu connais cette fille, Lisa ? est intervenue Amy. Elle joue dans notre pièce et… elle pue.

– Si tu vas par là, donne-moi un membre de votre club de théâtre qui ne craint pas, a répliqué Dennis de sa voix normale.

– Non, pas dans ce sens-là, j'ai corrigé. Ce qu'elle veut dire, c'est que Lisa sent véritablement mauvais.

– Quoi alors ? a répliqué Dennis en reprenant sa voix de maître Yoda.

– Eh bien, ça pose problème, et certains commencent à devenir méchants. Il faut vraiment qu'elle fasse quelque chose… Peut-être laisser tomber le théâtre ?

– Les autres, qui sont-ils ? a voulu savoir Yoda.

– Brianna, Harvey, Ally et…

– Ally ? a croassé Yoda. Une sith* !

– Oh, elle est presque aussi malfaisante, a confirmé Amy. C'est pour ça qu'on voudrait que tu… enfin, qu'Origami Yoda parle à Lisa avant qu'Ally le fasse.

– D'accord, a dit Dennis.

Il s'est levé et a filé avant même qu'on se rende compte qu'il partait. Il est sorti directement du CDI, puis il est revenu une dizaine de minutes plus tard.

– Tu as vu Lisa ?

– Oui.

– Qu'est-ce qu'Origami Yoda lui a dit ?

– Il ne lui a rien dit.

– Pourquoi ça ?

– Il voulait juste voir ses cheveux.

– Ses cheveux ? Ils ne sont pas normaux ?

– C'est ce que je me suis demandé, a répondu Dennis.

– Alors, quand est-ce qu'il va lui parler ?

– Je ne sais pas, a avoué Dennis. Il veut d'abord enquêter.

PIÈCE À CONVICTION 1 :
LES CHEVEUX DE LISA.

– Oh ! non, je me suis lamentée. Tu ne vas pas recommencer à prendre ton accent de Sherlock Holmes ?

– Oh ! que si, a-t-il rétorqué avec un accent terriblement britannique.

– Sur quoi tu veux enquêter ? a questionné Amy.

– Yoda ne me l'a pas encore dit.

– Oublie ça, j'ai répliqué. Ça tourne au n'importe quoi. Tu vas nous aider ou non ? Parce que si tu comptes juste prendre des voix bizarres et faire l'imbécile, on doit le savoir tout de suite pour prévoir autre chose.

– Aider Lisa je vais, a assuré Yoda.

Ensuite, Dennis l'a rangé dans sa poche et a ajouté :

– La chasse est ouverte.

Et après la célèbre citation de Shakespeare par Sherlock, il s'est remis à taper sur sa boîte de baguettes avec le volume A-Argentine de l'encyclopédie.

Cet après-midi-là, on a eu encore répète. Lisa était là, et l'odeur aussi. Ally était furieuse.

– Je croyais que vous alliez faire quelque chose contre cette puanteur ! a-t-elle sifflé entre ses dents, assez fort pour que Lisa puisse l'entendre.

– Chut, calmos, Dennis s'en occupe.

– Dennis ne m'intéresse pas, Amiral. Je veux ce vaisseau, pas des excuses, a dit Harvey/ Kraft Vador.

– Laisse-nous un peu de temps.

– N'échouez pas cette fois, a insisté Kraft Vador.

– Oh, ça suffit !

Le lendemain matin, on a retrouvé Dennis au CDI. Cette fois, il a eu l'air content de nous voir.

– Regardez ça, s'est-il écrié.

Et il a brandi sa boîte à baguettes chinoises. On aurait dit qu'il l'avait démantibulée puis plus ou moins rafistolée. L'espèce de fond qui s'emboîte sur le tube était planté un peu plus loin, au bout d'un petit bâton.

Dennis a posé son pouce contre le fond et il a appuyé dessus, un peu à la façon d'une seringue. Ça a fait partir le couvercle comme un bouchon de champagne, en plein dans l'œil d'Amy.

– Ouah ! Ça marche mieux que je l'aurais cru, s'est exclamé Dennis.

– Super, a commenté Amy en se tâtant l'orbite pour vérifier qu'elle n'avait rien.

Je commençais à en avoir marre.

– Écoute, Dennis. Tu as fait ce qu'Origami Yoda t'a demandé ?

– Oui. Hier soir, j'ai pris mon vélo, a-t-il répondu en reprenant son accent anglais à la Sherlock Holmes.

Comme si Sherlock Holmes circulait à vélo sur les routes américaines.

– Tu es allé où ?

– Au domaine Ryland.

– C'est pas le camp de caravanes derrière l'ancien supermarché ?

– Si.

– Laisse-moi deviner. Lisa habite là-bas ?

– Élémentaire, ma ch…

Je l'ai coupé tout de suite :

– Tu es allé chez elle ?

– Non.

– T'es allé où alors ?

– À la laverie du quartier.

– Et ?

– Il n'y en a pas.

– Et ?

– Regarde ça, a dit Dennis en brandissant de nouveau son tube.

Je le lui ai arraché des mains.

– Tu veux bien arrêter de faire l'imbécile et nous expliquer ce qui se passe ?

– D'accord, a répondu Dennis.

Tout à coup, il était redevenu complètement normal. Comme s'il était quelqu'un d'autre. C'était un peu flippant.

NORMAL?

– Tu ne vois pas ? a-t-il repris sans imiter l'accent anglais ni rien. Lisa n'est pas sale. Ses cheveux sont parfaitement propres. Ce sont ses vêtements qui sont sales. Elle n'a ni machine à laver ni séchoir chez elle. Il faut donc aller loin pour faire la lessive dans une laverie automatique et, pour une raison que j'ignore, ses parents n'ont pas le temps ou pas d'argent pour le faire. En l'occurrence, ça ne nous regarde pas, mais je suis sûr que, quelles que soient leurs raisons, ils n'agissent pas ainsi de gaieté de cœur.

– Mince alors ! j'ai dit.

Je ne m'étais jamais vraiment demandé pourquoi quelqu'un pouvait sentir mauvais.

– Du coup, qu'est-ce qu'on peut faire ? a demandé Amy. Pour elle, qu'on lui dise qu'elle pue ou que ce sont ses vêtements qui puent, ce sera tout aussi insultant.

– Pourquoi ne pas interroger Yoda ? a proposé Dennis.

– Encore ? me suis-je écriée. Tu te fiches de nous. Pour l'instant, ça ne nous a menés nulle part.

– OK, maître Yoda, qu'est-ce qu'on fait ? a questionné Amy.

Dennis a agité sa marionnette et a grincé :

– Les répétitions en costume il faut commencer.

– Mais le spectacle n'est que dans trois semaines, j'ai protesté.

– Les répétitions en costume il faut commencer !

– Mais...

– LES RÉPÉTITIONS EN COSTUME IL FAUT COMMENCER !

– Mais...

– IL FAUT !

Alors, c'est ce qu'on a fait.

Pendant trois semaines, tous les jours après les cours, on a revêtu nos costumes. Et on a tous senti pareil – à savoir le costume qui a séjourné pendant deux ans dans un vieux carton humide.

Mais le plus important, c'est que personne n'a jamais rien dit à Lisa et qu'elle n'a pas eu à se sentir humiliée. Et le spectacle a été super !

Moi, je crois que cette histoire est la preuve que même si Dennis est un peu spécial, c'est très utile de l'avoir au collège McQuarrie.

Commentaire de Harvey

C'était la pire solution signée Yoda de tous les temps. Est-ce que vous vous rendez compte à quel point ce costume de roi était étouffant ? Chaque jour, après les cours, pendant trois semaines, j'ai dû porter ce truc à toutes les répétitions.

Et puis je vois bien que le but de ce dossier est de me faire passer pour le méchant de l'histoire. D'accord, c'est moi le sale type parce que j'ai fait, entre nous, deux ou trois plaisanteries, que Lisa n'a même pas entendues.

Pourtant, personne ne va traiter Dennis de sale type alors qu'il a FAILLI CREVER L'ŒIL D'UNE FILLE ! ! !

Mon commentaire : Oui, je crois bien que le tube-fusée entre dans la liste des « comportements inacceptables » de Rabbski. Et je suis presque sûr que Dennis se retrouve devant le conseil de discipline à cause de ça.

Mais ce témoignage montre que quand il s'agit de quelque chose d'important, Dennis fait preuve de beaucoup plus de gentillesse et de considération que la plupart des élèves « normaux » du collège.

HARVEY LE ROI*

*DU JEU QUI CRAINT

LA SAUCISSE
ENTAMÉE

✳ ORIGAMI YODA ET LA SAUCISSE ENTAMÉE

PAR MIKE

Chère commission académique,

Ayant eu le temps de réfléchir à l'incident de la saucisse entamée, je suis arrivé à la conclusion que Dennis/Yoda tient le beau rôle alors que les autres élèves impliqués ne sont qu'une bande de sauvages qui auraient trouvé très drôle de me voir dégobiller à cause d'un empoisonnement alimentaire, choper un ténia ou pire !

Ce qui s'est passé, c'est qu'un jour, à la cantine, on m'a refilé un hot-dog dans lequel quelqu'un avait déjà mordu. En tout cas, c'était l'impression que ça donnait. Peut-être que c'était juste un hot-dog mutant. Quoi qu'il en soit, ça prouve que cet établissement ne prend pas la qualité de sa nourriture très au sérieux.

Note : en aucun cas, je ne ferais le moindre reproche aux dames de cantine ou à Jeff, notre homme de service. Ils n'auraient jamais servi cette saucisse répugnante s'ils l'avaient remarquée. Ils ne distribuent que ce que vous, les responsables du collège, achetez. Et vous n'achetez que de la cochonnerie.

Bref, je suis tombé sur cette saucisse. C'était dégoûtant.

– Je te file un dollar si tu la manges, a dit Tommy.

JEFF, HOMME DE SERVICE

Ça vous donne une idée de la grossièreté et du manque de réflexion de mes condisciples. Ils ont certainement regardé tellement d'émissions de télé-réalité qu'ils s'imaginent qu'on ferait n'importe quoi pour de l'argent.

– Ouais, je te donne un dollar aussi, a renchéri Kellen.

En fait, deux dollars, ça commençait à faire réfléchir. Peut-être bien que la saucisse était simplement restée coincée dans la machine à

C'ÉTAIT PEUT-ÊTRE UN ÉCUREUIL !

J'AIME LES GLANDS

fabriquer les hot-dogs. Peut-être que personne n'avait mordu dedans, finalement. Et puis je me suis dit que ce n'était peut-être pas quelqu'un, mais quelque chose qui avait planté ses dents dedans. Beurk.

— Mange-le ! Mange-le ! ont scandé Tommy et Kellen.

Il n'a pas fallu dix secondes pour que toute la tablée s'y mette et que toute la cantine nous regarde. Kellen a présenté la saucisse à la ronde.

La principale s'est dirigée vers nous depuis l'autre bout de la salle.

— Rabbski arrive ! Tu ferais mieux de te grouiller ! a dit Tommy.

Harvey a levé sa marionnette Kraft Vador.

— Il y aura une récompense substantielle, a-t-il lancé. Je rajoute un dollar, ce qui fait trois.

— Mange-le ! Mange-le !

J'allais le faire, quand une voix éraillée m'a soudain braillé dans l'oreille :

— Le manger il ne faut pas !

C'était Origami Yoda. Dennis s'était approché de moi pour qu'il puisse renifler le hot-dog.

– Ça sent la salive de rat. Vomissements et coliques tu recherches, hmmm ?

– Non !

– Alors Jeff, l'homme de service, un autre hot-dog te donnera.

Mme Rabbski est arrivée et s'en est prise à Dennis.

– À chaque fois qu'il y a un problème, il faut que tu sois impliqué. Ça suffit. Oh, et, bien sûr, tu as encore cette marionnette. Pour la énième fois, fais-moi le plaisir de ranger cette chose. Et maintenant, veux-tu bien me dire ce qui se passe ici ?

– Violet, a répondu Dennis.

Rabbski a véritablement rugi. Elle a attrapé Dennis par le bras et l'a entraîné vers son bureau.

– Je n'arrive pas à croire que vous cherchiez à me faire manger ce machin, j'ai lâché, dès qu'elle est partie.

– Je n'arrive pas à croire que tu ne le fasses pas, a rétorqué Harvey. Rabbski n'est plus dans les parages.

– Tu n'as pas entendu ce qu'a dit Yoda ? Il a senti de la bave de rat.

— Peuh, s'est moqué Harvey, je te rappelle que non seulement la Boulette de papier Yoda n'existe pas pour de vrai, mais que, même s'il existait, IL N'A PAS DE NEZ !

— Oh ! j'ai dit. Ouais, bon, je ne mangerai pas cette saucisse quand même.

— Tu laisses passer trois dollars à cause d'une boulette de papier ? Tu es stupide !

— D'accord, j'ai répliqué. Eh bien, t'as qu'à la manger, Harvey. Je te donnerai moi-même trois dollars.

Tommy et Kellen ont dit qu'ils mettaient un dollar chacun.

— Ça fait cinq dollars, a résumé Kellen. Plus l'occasion de prouver qu'Origami Yoda a tort.

— Pas de problème, a assuré Harvey.

Il a mangé le hot-dog, puis il a agité Kraft Vador :

— Trop facile.

On lui a donné ses cinq dollars.

Il a vomi en cours de maths.

Commentaire de Harvey

Je ne crois toujours pas qu'il y avait le moindre problème avec ce hot-dog, au départ. Mais je pense que Mike et Kellen l'ont tellement tripoté qu'ils ont mis tous leurs microbes dessus.

Mon commentaire : ça valait bien un dollar !

TOMMY SARLACC

L'ABSENCE D'ORIGAMI YODA ET LA SÉRIE DE CATASTROPHES QUI EN A RÉSULTÉ

BY TOMMY

Chère commission académique,

Vous savez donc comment Dennis a été renvoyé chez lui après la scène du « prépare-toi à affronter le jugement dernier ». En fait, c'est exactement ce qu'on a dû affronter juste après : le JUGEMENT dernier !

On aurait dit qu'à la seconde où Dennis et Yoda ont disparu, tout ce qu'ils nous avaient aidés à réussir a soudain sombré dans le puits du Sarlacc*. Et c'est comme si on y était encore, en train de nous faire lentement digérer par le monstre.

Malgré l'histoire des mini-pizzas en instruction ménagère, Amy et Lance se sont méga disputés à propos d'un livre et ne se parlent plus.

Origami Yoda aurait-il pu empêcher ça ? Absolument : « Lance, dire la fin du Passage tu ne dois pas. »

Ensuite, Mike s'est remis à chialer en classe. Pour une raison obscure, il a apporté quelques-unes de ses figurines de collection Warhammer au collège. Et un élève, Chad, persuadé que c'était de simples petits soldats en plastique, en a pris une et il l'a cassée. Mike a pété les plombs. Il pleurait et il accusait tout le monde, comme s'il y avait eu une sorte de conspiration pour détruire ses figurines Warhammer. Origami Yoda aurait-il pu empêcher ça ? Absolument : « Apporter des jouets fragiles au collège tu ne dois pas. »

Yoda aurait-il pu m'aider, moi aussi ? Je regrette vraiment qu'il n'en ait pas eu l'occasion. Le fait est que ma vie craint en ce moment, et tout ça parce que je n'ai pas offert à Sara ce qu'il fallait.

Vous avez déjà lu ce qui s'est passé avec Amy et Lance, qui font des mini-pizzas ensemble. Eh bien, c'est exactement la même chose pour Sara et Patate Ronde. Elle fait équipe avec lui en Économie domestique ! Ça me rend malade rien que d'y penser.

Je n'ai aucun cours avec elle, et j'ai de la chance quand j'arrive à lui parler une ou deux minutes entre deux cours ou à la cantine. Patate Ronde, lui, est avec elle tout le temps, en train de faire la cuisine et de parader comme dans un de ces feuilletons à l'eau de rose qui passent à la télé l'après-midi.

J'avais une chance de rattraper ça en offrant à Sara un super cadeau d'anniversaire.

Si Origami Yoda avait été là, je lui aurais demandé quoi acheter. Évidemment, j'ai envoyé un mail à Dennis pour qu'il lui pose la question. Mais je n'ai pas eu de réponse.

Pourtant, je ne m'inquiétais pas trop parce que j'avais eu une idée géniale. Je lui ai acheté un album formidable : *Rêves de robots*, ça s'appelle. L'histoire est magnifique et j'ai cru qu'elle allait adorer.

Je le lui ai donné au CDI, avant les cours.
Elle l'a regardé avec un drôle d'air, comme si
elle ne savait pas trop quoi en penser. Mais
j'étais sûr que, dès qu'elle commencerait à le
lire, ça lui plairait.

Et devinez qui a rappliqué ? Patate Ronde !
Avec un ours en peluche ! Habillé en Elvis
(l'ours) ! Et quand on lui appuie sur le pied,
on entend Elvis qui chante « Teddy Bear ».

Je ne me suis pas rendu compte tout de suite
que c'était un vrai désastre. Il a fallu attendre le lendemain, quand Rhondella a dit à Mike,
qui me l'a répété, que Sara avait rencard avec
Patate Ronde pour aller jouer au mini-golf. Ça
m'a rendu encore plus malade que les mini-pizzas.

Et tout ça parce qu'il lui avait offert un ours
alors que j'avais choisi un livre. ARRGGGGHH !!!
Si seulement Origami Yoda avait été là pour me
dire « Un ours tu dois acheter », j'en aurais
trouvé un moins détestable que celui de Patate
Ronde.

Mais la situation est encore pire pour Kellen.

Sara continue de bien m'aimer comme ami
- enfin j'espère.

PATATE RONDE →

ELVIS

APPUIE SUR MON PIED, BABY !

119

Alors que Rhondella ne SUPPORTE plus Kellen. Elle ne veut même plus lui parler, après ce qu'il a fait.

Origami Yoda aurait pu lui dire « NON ! TU NE DOIS PAS ! TU NE DOIS PAS ! », et lui, il l'aurait écouté parce que Kellen suit toujours les conseils de Yoda.

Mais Origami Yoda n'était pas là pour le mettre en garde, et Kellen ne m'écoute jamais. Alors il a suivi son idée, et maintenant, Rhondella veut le tuer.

Commentaire de Harvey

Le problème, avec vous, les mecs, c'est que vous mettez toujours tout sur le dos de Kraft Vador, sur le mien ou sur le fait que Dennis soit parti. Enfin, Kellen ne devrait pas avoir besoin d'Origami Yoda pour savoir que ses dessins donnent envie de gerber. Pas besoin d'être un génie pour deviner que Rhondella allait flipper.

Mon commentaire : flipper, ou piquer une crise.

Commentaire de Kellen :

Sans commentaire

← LARMES DE BÉBÉ

*L'ABSENCE D'ORIGAMI YODA ET LA PRINCESSE RHONDELLA

PAR RHONDELLA

Je ne sais même pas pourquoi je dois parler de ça, Tommy. Contente-toi de leur montrer l'affiche ! Il n'y a rien d'autre à ajouter.

Je passe tout le week-end à faire des affiches parfaitement normales qui disent :

VOTEZ POUR
RHONDELLA
★ ★ ★ ★ ★
RHONDELLA
VICE-PRÉSIDENTE
★ ★ ★ ★ ★
UNE ÉLUE SUR QUI COMPTER
AU CONSEIL DE CLASSE.

Etc., etc.

J'arrive au collège pour coller mes affiches, mais les couloirs sont tapissés de centaines de tirages de ce torchon !

Si Kellen a besoin d'une marionnette à doigt pour lui dire de ne rien faire d'aussi stupide, c'est qu'en réalité, c'est d'un psychiatre qu'il a besoin !

J'ai essayé de toutes les décoller, mais mon adversaire, Brianna, a dû en prendre une et en faire des photocopies qu'elle a collées partout à son tour.

Pas étonnant que j'aie perdu !

Alors oui, si Origami Yoda peut empêcher Kellen de faire ce genre de chose, RAMENEZ-NOUS DENNIS… S'IL VOUS PLAÎT !

CE TORCHON

LE RESTE DE L'HISTOIRE

PAR TOMMY ET KELLEN

On arrive donc à la fin du dossier que je vais présenter vendredi à la commission académique. Je ne sais pas si ça va servir à quelque chose, mais au moins, on aura essayé.

Vous vous demandez peut-être pourquoi j'ai laissé Harvey ajouter ses commentaires à chaque témoignage – alors qu'il a agité son Kraft Vador sous le nez de tout le monde et n'a pas arrêté de se ridiculiser. Kellen a essayé de me convaincre de le virer de notre table, à la cantine. Et moi, tout ce qui m'est venu, c'est :

– Je ne peux pas faire ça. Il s'assoit là, c'est tout. Je ne l'ai jamais invité.

C'est pour ça qu'il était toujours avec nous. Et quand il a découvert que Kellen et moi, on avait terminé notre dossier, il a dit :

– C'est bon, montrez-le-moi et je ferai mes commentaires.

– Pourquoi on te laisserait écrire tes commentaires ? a demandé Kellen. Tu vas juste répéter toujours les mêmes trucs : « Boulette de papier Yoda par-ci. Boulette de papier Yoda par-là. Bla, bla, bla. »

– Est-ce que vous avez peur de ce que je pourrais dire ? Vous craignez que je ne perce des petits trous dans votre belle théorie selon laquelle Dennis utilise la Force ?

– Non, j'ai protesté. Il n'est même pas question de ça. Il s'agit de déterminer si Dennis...

– Oui, oui, c'est ça. Tu dis que tu constitues un dossier, mais si tu as peur d'intégrer l'opinion de quelqu'un d'autre ou des idées qui diffèrent des tiennes, alors ce n'est pas un dossier objectif. Si tu veux un peu de rigueur scientifique, il faut le faire lire et accepter la critique.

– Mais la commission...

– D'accord, si tu ne veux pas que la commission académique lise mes commentaires, tu n'es pas obligé. Mais je pense que ça compléterait ton dossier. Ça pourrait même t'aider. Et ces commentaires seront certainement plus utiles que les horribles gribouillages de Kellen.

– Tu n'as même pas vu mes dessins, a répliqué sèchement Kellen. Comment sais-tu que ce sont des gribouillages ?

– Tu as raison, a dit Harvey. Ce n'est pas juste de critiquer les dessins ou le dossier lui-même sans les avoir vus. C'est pour ça que je veux y jeter un coup d'œil.

– C'est bon, j'ai dit. Tu peux y aller. Mais pas plus de deux minutes, et tu n'écris rien !

– Pas de problème, a assuré Harvey en tendant la main.

J'ai sorti le dossier de mon sac à dos et le lui ai donné.

Il l'a saisi d'une main en brandissant Kraft Vador de l'autre.

– CETTE FOIS JE TE TIENS ! a hurlé Kraft Vador.

Harvey s'est levé d'un bond et s'est mis à courir à travers la cantine pour filer dans le couloir avec le dossier.

J'ai regardé Kellen.

– Qu'est-ce qui lui prend ?

– Mince, je crois que tu as sous-estimé le pouvoir du côté obscur de la Force, mec.

Il avait parfaitement raison.

On a essayé de lui courir après, mais évidemment, on s'est fait attraper par M. Howell, qui doit avoir Kellen dans le collimateur. Et puis la reprise des cours a sonné.

On a trouvé Harvey au CDI, en fin de journée.

– Rends-nous le dossier, Harvey !

– Mais oui, a-t-il répondu tranquillement en me le tendant.

Je l'ai feuilleté aussitôt. Non seulement il avait tout froissé, mais il avait déjà écrit partout ses sales commentaires orientés côté obscur !

– Je lis très vite, tu sais, a-t-il précisé avec son petit sourire suffisant. Merci infiniment de m'avoir permis de découvrir tout ça à l'avance. J'ai eu tout le temps de fignoler mes arguments.

– Tes arguments ? j'ai répété sans comprendre.

– Oui, tu les trouveras dans mes conclusions, a-t-il annoncé en cherchant à la fin du dossier.

Il avait ajouté ces pages :

ORIGAMI YODA
N'A RIEN À FAIRE ICI

par Harvey

Chers membres de la commission académique,

Je viens au collège pour apprendre, pas pour assister à un spectacle de marionnettes quotidien.

Je soutiens Mme Rabbski, qui cherche à nous aider à nous concentrer sur notre travail scolaire, en insistant tout particulièrement sur l'importance des évaluations nationales des acquis.

C'est pour cette raison que je me suis toujours opposé à ce que Dennis se serve de sa marionnette à doigt, surtout au CDI et en classe. Je proteste également contre les autres activités de Dennis qui interfèrent avec les processus d'apprentissage et qui sont trop nombreuses pour que j'en dresse la liste ici.

Si vous examinez les récits qui figurent dans ce prétendu dossier rassemblé par Tommy, vous remarquerez que le thème récurrent est que Dennis ne cesse de perturber l'environnement scolaire :

• En convainquant un élève de ne pas s'inscrire à un cours d'astromodélisme dans le seul but de rejoindre une fille qui lui plaît en économie domestique.

• En menaçant potentiellement la collecte de fonds.

• En transformant une séance d'observation d'insectes en un jeu de rivalité déplaisant.

• Et, ce qui est plus grave, en prononçant des déclarations bizarres et inquiétantes qui pourraient facilement passer pour des menaces.

À vrai dire, je ne pense pas que Dennis ait réellement l'intention de faire du mal à qui que ce soit, mais, comme vous le savez, ses déclarations étranges sont certainement susceptibles de troubler des personnes qui douteraient de ses intentions.

C'est pourquoi j'ai encouragé Jen à parler à Madame la principale de la menace que Dennis a proférée : « Le zéro fatidique approche. Prépare-toi à affronter le jugement dernier ! »

J'ai le sentiment qu'au collège McQuarrie, nous formons une grande famille, et qu'il revient à chacun de nous de veiller sur ses camarades. J'ai jugé préférable pour tout le monde qu'un adulte responsable soit mis au courant des déclarations de Dennis.

J'espère que ce dernier recevra l'aide dont il a besoin, et que tout le monde se rendra compte que j'ai agi dans son intérêt tout autant que dans celui du collège McQuarrie.

Merci de votre attention.

Harvey

Harvey avait l'air tellement fier de lui quand on a eu fini de lire sa lettre. J'ai crié :

– Alors c'était toi ! C'est toi qui as poussé Jen à aller se plaindre de Dennis !

– Je dois reconnaître que je ne m'attendais pas à ce que ce soit aussi efficace, a répliqué Harvey avec son espèce de sourire ultra vicieux.

J'avais envie de l'effacer de sa figure à coups de poing !

– Je n'arrive pas à croire que tu aies pu faire ça !

– Moi, ça ne m'étonne pas, a commenté Kellen. Je t'avais prévenu de ne pas sous-estimer le côté obscur de la Force.

– Bon, a fait Harvey, vous allez montrer mes commentaires à la commission académique ?

– T'es cinglé ? j'ai répliqué. Tu as tout déformé pour donner une mauvaise image de Dennis. Je ne vais sûrement pas leur montrer ça !

Harvey a ricané.

– Hum hum, j'étais sûr que tu dirais ça. C'est pourquoi j'ai fait une copie. J'irai la lire moi-même à la commission.

– Hein ? !

Je me sentais comme ce jeune Jedi, dans *La Revanche des Sith*. Celui qui demande, genre, « Eh, Anakin, ça gaze ? » juste avant qu'Anakin ne le découpe en morceaux avec son sabre laser. J'étais un imbécile. J'avais fourni à Harvey toutes les munitions dont il avait besoin pour abattre Dennis.

Harvey a soulevé sa marionnette :

– C'était imprudent d'abaisser ta garde.

– Tu vas la fermer ? j'ai hurlé.

J'ai arraché Kraft Vador de son doigt, l'ai roulé en boule et jeté par terre.

Harvey a ramassé la boulette de papier et lui a fait dire :

– Oui, libère ta colère. Si seulement tu connaissais le pouvoir du côté obscur.

– Tu veux bien arrêter une minute ? Je ne rigole pas. Tu ne vas pas vraiment aller voir la commission scolaire ? Dennis pourrait se faire renvoyer !

– Bien sûr que si. Tu leur lis ton petit dossier, et moi je leur donne mes arguments. On verra bien qui ils croiront.

– Non, tu ne peux pas faire ça !

– Pourquoi pas ? a rétorqué Harvey. C'est une réunion de la commission scolaire. Tous les élèves, les professeurs, les parents ou n'importe quel membre du public ont le droit de participer.

– Va te faire voir !

Tout le monde nous a regardés, et Mme Calhoun s'est levée. J'ai pris mes affaires et je suis parti avant qu'elle me mette dehors, suivi par Kellen.

– À demain soir, a lancé Harvey d'une voix faussement amicale. La réunion est à sept heures, c'est ça ? Tu me gardes une place !

– Je t'ai dit d'aller te faire voir ! ai-je crié par-dessus mon épaule.

C'est ce qui a poussé Mme Calhoun à me suivre hors du CDI pour me donner une colle. C'était la première fois que j'en prenais une. Si j'avais su que ça allait me valoir autant d'ennuis, j'aurais trouvé quelque chose de moins grossier que « Va te faire voir ».

Vous savez, quand Origami Yoda a débarqué, je n'arrêtais pas de me demander s'il utilisait vraiment la Force ou pas. Mais quand Kraft Vador est arrivé, je ne me suis jamais posé la question. Je me suis dit que c'était juste Harvey qui nous empoisonnait la vie en citant des répliques de films.

Mais en quittant le CDI d'un pas lourd, ça m'est apparu tout à coup... Kraft Vador n'était-il pas en train de faire basculer Harvey du côté obscur de la Force ? Enfin, Harvey était déjà un sale type, c'est vrai, mais là, ça virait carrément à la malfaisance !

Pendant que je faisais ma colle en permanence, j'ai réalisé que, finalement, Dennis avait encore beaucoup plus de problèmes que moi.

Origami Yoda m'avait assuré que le dossier pourrait sauver Dennis. Mais comme je l'avais mis entre de mauvaises mains, il ne servait plus à rien. Harvey allait s'opposer à tous les arguments en faveur de Dennis. Les témoignages pourraient au mieux équilibrer un peu les choses. Mais, selon toutes probabilités, Harvey arriverait à faire croire à la commission académique que Dennis perturbait réellement « l'environnement scolaire ».

Le problème, c'est que Dennis n'était absent que depuis une semaine et demie, que tout allait

déjà de travers et que Kraft Vador était parti
pour diriger la galaxie tout entière. On était
dans de sales draps.

Il ne nous restait plus qu'un seul espoir :
Origami Yoda.

J'avais essayé d'envoyer des mails et des
SMS à Dennis, de lui téléphoner aussi, mais je
n'avais pas reçu d'autre réponse que le message
où il me demandait le sandwich aux côtelettes de
porc grillées de la cantine. Seulement, cette
fois, j'avais vraiment, vraiment besoin de lui
parler. J'ai donc décidé d'aller chez lui après
les cours pour l'obliger à m'écouter.

YODA
DE SECOURS

ORIGAMI YODA
ET LES CINQ PLIS

PAR TOMMY

Dennis et Sara habitent tous les deux dans une de ces voies sans issue qui donnent dans l'allée de la Cascade. Pas très loin de chez moi, en réalité, mais je n'y étais jamais allé. La traversée de la Nationale 24 mise à part, le trajet à vélo ne pose pas vraiment de problèmes.

Je connaissais l'adresse de Sara parce qu'on s'est écrit quelques lettres pendant l'été.

Je suis passé d'abord devant chez elle. Je ne l'ai pas vue dehors ni rien, et je préférais ça car je n'aurais pas su quoi lui dire.

Dennis habite la maison d'à côté. Comme il est vraiment bizarre, j'imaginais que sa maison

le serait aussi. Mais elle avait l'air parfaitement normale. Et je n'ai pas repéré le
moindre trou devant chez lui. (Sara assure
qu'il s'assoit toujours au fond de trous, dans
son jardin. Ça doit se passer derrière.) En
revanche, j'ai vu la palissade que le père de
Sara a installée pour ne pas voir Dennis dans
ces fameux trous.

J'ai frappé à la porte. Pas de réponse. Alors
j'ai sonné.

C'est la mère de Dennis qui m'a ouvert. Je
l'avais vue au collège, la dernière fois, mais
je ne la connaissais pas vraiment.

– Bonjour, madame Tharp. Je suis Tommy, l'ami
de Dennis. Il faut absolument que je lui parle.

– Oh ! Tommy. Hum. Euh. Eh bien. Tu vois…

Elle m'a raconté que Dennis était puni et
n'avait pas le droit d'appeler qui que ce soit
ni de se servir de l'ordinateur ni de jouer aux
jeux vidéo. Mais qu'elle n'avait pas interdit
les visites. Seulement, si elle avait pensé
qu'il y en aurait, elle les aurait certainement
interdites aussi, mais comme elle ne l'avait
pas fait… etc.

J'ai pris conscience qu'elle se parlait en réalité à elle-même. J'avais envie de répondre : « Euh, c'est vous la mère, dites juste oui ou non. »

Au lieu de quoi, j'ai insisté :

– C'est très important, madame Tharp. Je dois absolument parler à Dennis de la réunion de la commission académique demain soir.

Elle a fini par me laisser entrer. La maison ÉTAIT bizarre, mais seulement parce qu'elle était tellement banale que c'en était étrange. Ça m'a fait penser à la maison au bord de la plage que mes parents avaient louée, un été. On voyait bien que personne n'y habitait réellement et que les choses ne se trouvaient là que pour remplir l'espace, pas parce qu'elles avaient plu à quelqu'un.

– Dennis est dans sa chambre. Je lui dis de descendre.

– En fait, madame Tharp, je pourrais peut-être aller lui parler là-haut ?

On ne sait jamais comment va être Dennis. J'imaginais plus ou moins qu'il allait me sauter dessus pour me serrer la main en disant :

« Eh ! Tommy, tu m'as manqué ! Merci d'avoir bossé sur ce dossier pour moi ! »

Mais quand je suis entré dans sa chambre, il était avachi sur son lit, les yeux fixés sur le sol et une chaussure à la main. Il a levé les yeux vers moi – enfin, plutôt vers mes pieds.

– Dennis ! a râlé sa mère. Ton ami est ici. Tu peux te redresser et lui dire bonjour ?

– Bonjour, a-t-il dit.

Ça ne m'a pas vraiment réchauffé le cœur.

Sa chambre était presque vide. Je croyais qu'il aurait des posters de *Star Wars*, des figurines et tout un tas de trucs de ce genre. Mais non. Au mur, c'étaient visiblement des choses accrochées là par sa mère… quand il était en maternelle. Enfin, sans rire, qui mettrait une fausse ancre marine sur son mur ?

Le seul élément qui ressemblait à Dennis, c'étaient les origamis. Il y en avait une énorme pile sur sa commode, tous tiroirs ouverts, avec des vêtements qui en débordaient de partout.

– Oh ! Dennis, je croyais que tu devais ranger ces affaires SOIGNEUSEMENT, a commenté sa mère.

Il s'est levé - lentement - et s'est dirigé vers la commode.

- Non, c'est trop tard, maintenant. Tu feras ça après. Tu as un invité.

Dennis s'est rassis sur son lit.

- Bon, je vous laisse, a dit sa mère.

Elle est sortie de la chambre, mais est restée près de la porte pour nous regarder un moment. Puis elle a fini par partir.

Dennis s'est un petit peu animé, mais pas beaucoup.

- Dennis, t'as reçu mes mails et le reste ?

- Non. Quand Sara m'a apporté le sandwich, ma mère s'est rendu compte que j'envoyais des mails, et elle m'a pris mon ordinateur, mon portable... tout.

- La télé aussi ? j'ai demandé, car c'est la première chose que m'interdisent mes parents pour me punir.

- Je n'ai jamais eu le droit de regarder la télé, a-t-il répondu.

Pas de télé ! Ça explique beaucoup de choses ! Pas étonnant qu'il ne comprenne jamais de quoi on parle !

– Bon, écoute. J'ai des mauvaises nouvelles, et j'ai besoin de ton aide. Tu peux sortir Origami Yoda ?

– Ma mère l'a pris.

– Mince. Il nous le faut ! Ça ne va pas du tout ! À cause de Harvey.

Dennis m'a enfin regardé. Et puis il a de nouveau baissé les yeux vers le plancher.

– J'ai eu la bêtise de lui laisser lire le dossier. Tu vois de quoi je parle ? Celui qu'Origami Yoda m'a demandé de faire. Et maintenant, Harvey a constitué une sorte de contre-dossier qui te donne le super mauvais rôle. Il compte le lire demain soir, devant la commission scolaire !

– Aïe.

– Oui, à tous les coups, ça va t'envoyer en ERS. Tu m'écoutes, Dennis ? Sérieux, t'as pas envie d'aller en ERS ?

Il a contemplé un moment sa porte. Puis il s'est approché de sa commode et a sorti une feuille de papier à origami vert Yoda d'un sachet en plastique.

– Je vais fabriquer un Yoda de secours, a-t-il annoncé. J'ai une nouvelle méthode en cinq plis.

Ça lui a pris environ quinze secondes pour créer une marionnette à doigt Yoda... enfin, une sorte de Yoda. Ce n'était guère plus qu'un rectangle avec une oreille en triangle qui pointait de chaque côté.

– C'est cool, j'ai dit. Mais est-ce qu'il n'est pas... euh... très simple ?

– Merci, a-t-il répliqué avant de dessiner dessus un visage au stylo bille. En origami, la simplicité peut être plus précieuse que la complexité. La clé, c'est de ne choisir que les détails nécessaires...

– Euh, ouais, mais ce que je veux dire c'est... qu'en étant aussi simple, est-ce qu'il va pouvoir utiliser la Force ?

– Au nombre de plis tu me juges ? a demandé le nouvel Origami Yoda.

– Euh, non...

– Tu t'inquiètes pour Harvey, c'est ça ?

– Oui ! On dirait qu'il a basculé vers le côté obscur ! Il n'arrête pas de se trimballer avec son Kraft Vador, et maintenant, il...

– T'inquiéter, tu ne dois pas, a assuré Origami Yoda. Arranger cela je vais.

– C'est vraiment grave. Si on ne l'en empêche pas, il va te faire envoyer dans un Établissement de Réinsertion Scolaire. Il s'est conduit comme une ordure, et j'ai la haine maintenant.

– Non ! a protesté Origami Yoda. La haine seulement au côté obscur te conduira.

– Bon, eh bien disons que je ne l'aime pas du tout.

– Non, a insisté Yoda. Lui pardonner tu dois.

– Lui pardonner ? Il est en train de te faire renvoyer du collège ! Et il fait ça par pure méchanceté.

– Difficile il est d'avoir raison quand personne ne te croit.

– Dennis ? C'est la voix de Yoda ? a questionné sa mère, qui venait d'apparaître à la porte. Je regrette de devoir faire ça devant ton invité, mais tu dépasses les bornes. Je n'arrive pas à CROIRE que tu aies fabriqué un nouveau Yoda alors que je t'ai EXPRESSÉMENT interdit d'en faire un autre quand je t'ai vu le faire parler avec Sara. Donne-moi ça.

Il lui a donné l'origami, et elle l'a déplié.

– Désolée, mais ça part directement dans la poubelle de recyclage.

Elle s'est tournée vers moi.

– Tommy. Je crois que tu ferais mieux de rentrer. Merci beaucoup d'être venu voir Dennis. Avec un peu de chance, il retournera bientôt en classe et tu pourras le voir là-bas.

Dès qu'elle a prononcé les mots « Avec un peu de chance », sa voix s'est un peu cassée, et elle a eu l'air sur le point de pleurer.

J'ai supposé qu'il valait mieux que je m'en aille vite fait. Je n'allais plus pouvoir parler avec Origami Yoda, et je ne pourrais rien tirer de Dennis, de toute façon.

Pardonner à Harvey ? Non, je ne pouvais pas faire un truc pareil. Dennis était-il devenu cinglé ?

Mais ce qui était encore plus dingue, c'était ce truc comme quoi « c'est tellement difficile d'avoir raison ». Il ne voulait quand même pas dire que Harvey avait raison ? Parce que ça signifierait qu'au bout du compte, Origami Yoda était vraiment bidon...

Est-ce que c'était vraiment ce qu'il avait voulu dire ?

On est vendredi, le jour de la réunion de la commission scolaire. Avant d'y aller, je vais écrire ce qui s'est passé au collège aujourd'hui. C'était énorme. Et grave ! Extrêmement grave !

Au déjeuner, Kellen et moi on discutait de ce qu'on pourrait faire pour arrêter Harvey. Je dois reconnaître que la plupart de nos solutions impliquaient que l'un de nous, ou les deux à la fois lui donnions une correction.

Soudain, Sara s'est approchée avec un mot à la main. Pendant une seconde, j'ai cru que c'était un message pour moi ! Peut-être qu'elle avait changé d'avis à propos de Patate Ronde ! Peut-être qu'Origami Yoda était intervenu en ma faveur et qu'elle voulait s'excuser !

Mais il n'était pas d'elle, et il ne m'était pas destiné non plus.

– J'ai vu Dennis ce matin, a-t-elle expliqué. Il m'a lancé cette lettre par la fenêtre de sa chambre quand je suis partie prendre le car. Il m'a demandé de vous l'apporter ici.

Elle m'a remis l'enveloppe.

– Je suis assez curieuse, a-t-elle avoué.
Alors, si ça ne vous dérange pas, j'aimerais
bien rester pour savoir ce que ça dit.

Voilà ce qui était écrit sur l'enveloppe :

Ne l'ouvrez pas maintenant !

S'il vous plaît, débrouillez-vous pour que ce soit
Harvey qui lise cette lettre à voix haute à la cantine.
Ne la lisez surtout pas sans lui !

On s'est dit que cette lettre devait faire
partie du plan d'Origami Yoda, et qu'il devait
avoir une bonne raison d'agir comme ça. Alors
Kellen est allé chercher Harvey à l'autre bout
de la cantine. Je les ai vus se disputer. Harvey
jouait les lourdingues bornés, comme d'habitude.
Mais il a fini par venir – avec Kraft Vador,
évidemment.

– Dispense-toi des formules de politesse,
Tommy, a dit un Kraft Vador flambant neuf.

– Je n'avais pas l'intention de faire des
politesses, ai-je répondu en tendant l'enveloppe
à Harvey.

Il l'a ouverte, en a tiré une feuille de papier, et un Origami Yoda est tombé doucement par terre. Je me suis empressé de le ramasser. Ce n'était pas celui en cinq plis.

C'était le vrai.

Harvey s'est mis à lire : « Chers tous, surtout Harvey. Harvey a raison au sujet d'Origami Yoda. »

– OUAHHH ! a hurlé Harvey. Enfin ! Pas trop tôt ! Allé-Yoda-lou-ya ! Je vous l'avais dit, je vous l'avais dit, je vous l'avais dit.

– Sérieusement, Harvey, qu'est-ce qui est marqué ?

– Exactement ça ! Regarde !

Il m'a donné la lettre et a entamé une petite danse.

– Vous me preniez tous pour un sale type. Mais j'avais raison depuis le début !

– Peut-être, mais tu as quand même été un sale type depuis le début, a décrété Sara.

Kellen, moi et tous les autres, on essayait de lire la lettre en même temps.

Voici ce qu'elle disait :

Chers tous, surtout Harvey.

Harvey a raison au sujet d'Origami Yoda.

C'est juste du papier. Une très jolie marionnette en papier, mais juste du papier. Il n'y a pas de Force là-dedans. Rien que moi qui parle.

Tommy, tu peux garder Origami Yoda. Ma mère a menacé de le jeter dans la poubelle de recyclage. Ne le perds pas. Range-le dans un de tes dossiers. Pas parce qu'il est magique, mais en souvenir de tout ce qui s'est passé.

Dennis Tharp

P. S. Merci pour le sandwich aux côtelettes de porc. Si la cantine en propose encore, tu pourras m'en acheter un et le donner à Sara, comme la dernière fois ? Je me demande s'il y aura des côtelettes de porc en ERS.

Cette lettre a été la chose la plus triste que j'aie jamais lue. Je pensais que Dennis allait nous concocter un plan de Jedi d'enfer. Au lieu de ça, il a juste baissé les bras.

Harvey est monté sur une chaise et a levé Kraft Vador au-dessus de sa tête.

– Aujourd'hui, je suis le maître ! a hurlé la marionnette. Ce jour restera dans les annales de l'empire ! Il aura vu la fin d'Origami Yoda, et, ce soir, il verra la fin de Dennis.

La sonnerie a retenti. Ce qu'il y a de dingue, avec le collège, c'est qu'il peut se passer n'importe quoi : quand ça sonne, on n'a plus qu'à y aller.

Alors, même si toute cette histoire était un désastre complet, que je ne savais absolument pas quoi faire, que la seule chose en laquelle j'avais cru se révélait n'être qu'un vulgaire bout de papier et que je mourais d'envie de pousser Harvey de sa chaise, je suis parti vers mon casier comme un droïde dont la mémoire se serait effacée.

Je tenais Origami Yoda à la main. Un simple bout de papier !

Il n'y avait à présent plus d'espoir qu'il revienne pour tout remettre en ordre. Il n'existait même pas pour de vrai.

Alors, j'ai commencé à me poser des questions sur le dossier. Je l'avais constitué parce qu'Origami Yoda me l'avait demandé. Mais si Origami Yoda n'existait pas…

Je vais vous décevoir, mais, pendant une toute petite seconde, je me suis demandé pourquoi je me préoccupais de cette affaire. J'étais tellement en colère que je me fichais que Dennis soit viré. J'avais cru en Origami Yoda ! J'avais fait tout plein de trucs juste parce qu'il me l'avait demandé. Et tout ça n'aurait été qu'une blague ?

Pourtant, curieusement, ce n'était pas à Dennis que j'en voulais. Et puis je me suis dit qu'il devait être sacrément désespéré – coincé chez lui, à se faire engueuler par sa mère, à avoir peur de l'Établissement de Réinsertion Scolaire. À devoir s'incliner et écrire cette lettre à Harvey.

En fait, je voulais encore l'aider, mais je ne savais pas le moins du monde comment.

À ce moment-là, j'ai eu une idée absurde. J'ai vissé Origami Yoda sur mon pouce et j'ai demandé :

– Qu'est-ce que je dois faire ?

Il n'a pas répondu.

Nous étions tous condamnés.

J'étais presque arrivé à mon casier quand j'ai aperçu la principale, Mme Rabbski, un peu plus loin. Elle aime bien se planter au milieu du couloir pour obliger tout le monde à faire un détour.

J'ai pointé Origami Yoda sur elle.

— Si vous terrassez Dennis, il deviendra bien plus puissant que vous ne pourrez jamais l'imaginer ! a dit Origami Yoda.

Rabbski a soupiré.

— Tommy, je crois qu'il est temps que nous ayons une petite conversation, toi et moi.

Elle m'a ordonné de la suivre dans son bureau. Je n'y étais jamais entré. Ce n'est pas pour changer de sujet, mais elle avait un Rubik's Cube posé sur sa table… entièrement reconstitué !

— Écoute, Tommy, a-t-elle commencé. J'ai entendu parler de ta pétition ou je ne sais quoi, que tu comptes remettre à la commission académique ce soir. Je n'ai pas le droit de te parler des problèmes disciplinaires d'un autre élève, mais il y a certaines choses qu'il faut que tu comprennes.

Elle avait plein de choses à dire, et la plupart concernaient les évaluations nationales des acquis, leur importance pour nous, les élèves, et pour le collège. Elle a ajouté que certains élèves détournaient constamment leurs camarades de leurs évaluations des acquis. Et que ces élèves se faisaient non seulement du mal à eux-mêmes, mais ils nuisaient également aux autres élèves et à tout l'établissement puisque le soutien financier du collège dépendait des résultats de ces évaluations.

– Quand tu te fais punir pour avoir insulté un autre élève et que, le lendemain, tu arpentes le couloir avec une marionnette à doigt Yoda et te montres irrespectueux envers moi, cela va tout à fait dans mon sens, a-t-elle assuré. Tu es un bon garçon, mais un autre a semé la confusion dans ton esprit et tu n'es plus dans ton état normal. Je veux que tu laisses ce Yoda. Laisse cette pétition et concentre-toi sur la vraie raison de ta présence ici : tu es là pour apprendre. Et pour te distinguer aux tests d'évaluation.

C'est vrai que j'étais perdu et dans tous mes états, mais il n'était pas question d'avaler ça. On aurait dit l'empereur Palpatine*. Vous savez, avec tous ces bobards du genre « J'apporte la paix dans toute la galaxie » qu'il répète tout le temps.

– J'apprécie ce que tu fais pour ton ami,
a-t-elle repris. Sincèrement. Mais je souhaite
que tu comprennes que ce que j'ai décidé est
peut-être meilleur pour lui. D'accord ?

Je ne serai jamais votre allié ! ai-je pensé
très fort, mais sans rien dire parce que cela
aurait été la meilleure façon de passer la fin
de la journée en retenue.

Maintenant, je suis rentré. J'ai installé
Origami Yoda à côté de mon ordinateur, et on
dirait qu'il m'observe attentivement. Il est
temps que j'organise le sauvetage de mon ami.
J'espère qu'Origami Yoda m'estimera prêt.

ORIGAMI YODA ET LA COMMISSION ACADÉMIQUE

PAR TOMMY

Je rentre tout juste de la réunion de la commission académique. C'était dingue. Diiiiinnngue ! Je ne suis même pas certain de ce qui s'est passé. Laissez-moi commencer par le commencement...

Ni mon père ni ma mère ne s'intéressaient particulièrement à tout ça – ils ne s'intéressent en réalité qu'à ce que fait mon frère, mais c'est une tout autre histoire –, alors je suis allé à vélo à la réunion, qui avait lieu dans la bibliothèque du lycée.

Les membres de la commission étaient assis derrière deux tables qu'on avait collées l'une à l'autre au fond de la salle, tandis que l'assistance occupait les autres chaises aux tables qui restaient.

Dennis et sa mère étaient déjà là. Elle n'arrêtait pas de lui chuchoter des trucs.

Devant, Mme Rabbski plaisantait avec deux ou trois personnes qui étaient peut-être les directeurs des autres collèges. Derrière leur grande table, les membres de la commission académique murmuraient et riaient eux aussi. Le moment ne paraissait pas très bien choisi pour se raconter des blagues.

Il n'y avait personne d'autre du collège. Je savais déjà que Kellen ne viendrait pas, et j'espérais que Harvey aurait un empêchement aussi.

Mais non. Je venais de m'asseoir à une table voisine de celle de Dennis quand Harvey est arrivé et s'est installé à côté de moi. J'aurais pu changer de place, mais je voulais rester près de Dennis.

– Tu as vu mon nouveau Kraft Vador ? a demandé Harvey.

Il ne m'a pas paru différent de l'ancien. Dennis a essayé de se rapprocher pour le voir, mais sa mère lui a glissé quelque chose d'une voix sifflante, et il s'est rassis vite fait.

Une dame est passée pour distribuer une
feuille imprimée à tout le monde. Voilà ce qui
était écrit :

Ordre du jour

Réunion d'octobre de la

Commission académique du Comté de Lucas

Serment d'allégeance et moment de silence

Approbation du procès-verbal

Débat public

Affaires en cours

Nouvelles affaires

Dernière session concernant les actions

disciplinaires

Demande de Lougene Rabbski pour un transfert

en ERS

Clôture de séance

Ce qui concernait Dennis devait être cette
demande de transfert en ERS.

Harvey a ricané en me chuchotant :

— Tu te rends compte ? Elle s'appelle Lougene !

– Chut ! j'ai répliqué.

Un type en complet cravate a ouvert le micro, annoncé que la réunion allait commencer et réclamé le silence en nous jetant un sale regard, à Harvey et à moi.

Puis il a demandé à l'assistance de se lever pour dire le serment d'allégeance au drapeau américain.

– La liberté et la justice pour tous ! j'ai récité, en prononçant ces mots plus fort que les autres.

Ensuite, il y a eu un silence. Et puis tous les membres de la commission ont voté oui à quelque chose.

Le type en complet a dit alors que c'était au tour de l'assistance de s'exprimer, chacun devant limiter son intervention à cinq minutes.

Cinq minutes ?! Je ne pourrais jamais leur lire mon dossier en cinq minutes !

Un type s'est levé et s'est dirigé vers une petite estrade placée devant les tables de la commission. Il a parlé pour ne rien dire pendant cinq minutes. Ensuite, une femme l'a remplacé et a répété pendant cinq minutes encore combien elle était d'accord avec lui. Et quelqu'un d'autre est venu après pour dire qu'il voulait juste ajouter un petit quelque chose et parler pendant encore cinq minutes. Je commençais à comprendre pourquoi le temps de parole était limité à cinq minutes par personne ! Mais il me faudrait absolument plus de temps.

– Quelqu'un d'autre ? a demandé le type en complet.

– Toi d'abord, m'a glissé Harvey – toujours avec son petit sourire suffisant.

Je me suis levé et j'ai pris la parole. Je ne me rappelle plus exactement en quels termes, mais je crois que c'était pas mal.

Je leur ai expliqué qu'il y avait plein d'élèves du collège qui pensaient que Dennis est quelqu'un de bien. Et qu'on s'y était tous mis pour rédiger ce dossier. Je n'arrêtais pas de l'agiter en l'air pour leur en montrer des passages.

Je leur ai parlé de la fille qui sentait mauvais au cours de théâtre. Du gosse qui faisait du skateboard. Et de tout l'argent que l'idée d'Origami Yoda avait permis de rassembler pour la collecte de fonds. De tout ça. Je leur ai parlé aussi des catastrophes qui s'étaient produites après le départ de Dennis, et je leur ai dit à quel point on voulait qu'il revienne.

– Merci beaucoup, a déclaré le type en complet.

Les cinq minutes étaient déjà passées ? J'espérais en avoir dit assez.

– Cela nous fait toujours plaisir d'entendre des élèves enthousiastes, a-t-il ajouté. Il ne serait bien sûr pas convenable de commenter en public une question disciplinaire. Mais nous apprécions ton implication.

Je ne sais pas pourquoi, mais j'ai eu l'impression qu'ils n'avaient pas écouté un mot de ce que j'avais dit.

En revanche, Mme Tharp avait écouté, elle, et quand j'ai regagné ma place, elle me souriait en pleurant. Elle m'a même serré dans ses bras ! Je ne savais pas quoi faire.

– Oh ! merci, Tommy ! Je ne me doutais pas. Je ne me doutais pas du tout, a-t-elle dit.

Ça m'a fait plaisir qu'elle soit contente, mais j'avais peur qu'elle ne se mette à pleurer pour de bon quand Harvey aurait contredit tout ce que j'avais défendu.

— Quelqu'un d'autre ? a demandé l'homme en complet.

— Souhaite-moi bonne chance, a lancé Harvey.

Je ne l'ai pas fait.

Mais j'aurais dû.

ORIGAMI YODA
ET LE ZÉRO FATIDIQUE

PAR HARVEY (ET JEN)

Je me suis donc levé et je me suis mis à lire mon texte à la commission :

- Je m'appelle Harvey Cunningham. Je suis venu parler de l'interdiction de jouer aux jeux vidéo sur les ordinateurs du collège.

J'ai entrepris de faire un brillant exposé sur la connexion entre les aptitudes mises en oeuvre par les jeux vidéo et le développement du cerveau, mais Tommy prétend que je ne peux pas tout mettre dans son dossier ou il devra couper. Bref, de toute façon, les membres de la commission restaient aussi inexpressifs qu'une bande de mynocks*.

J'ai réalisé que j'arrivais au bout de mes cinq minutes, alors j'ai voulu lâcher ma bombe concernant Dennis. J'avais hâte de voir la tête que ferait Tommy.

- Je voudrais utiliser le temps qui me reste pour parler de Dennis Tharp, ai-je annoncé à la commission.

Le président a regardé sa montre.

- C'est moi qui ai convaincu Jen, la pom-pom girl, de dénoncer Dennis quand il lui a dit « Le zéro fatidique approche. Prépare-toi à affronter le jugement dernier ! » Mais c'était avant que je sache ce qu'il entendait par là. C'est que, vous voyez, je crois que je suis le seul à l'avoir compris.

- Merci, a dit le président de la commission. Votre temps est terminé.

J'ai fait comme si je n'avais pas entendu et j'ai continué à parler. Qu'est-ce qui m'en empêchait ?

- Cela vous intéressera peut-être de savoir que la pom-pom girl a été éjectée de son équipe à cause de ses mauvaises notes en littérature. Du coup, je me demande... Ne serait-ce pas le « jugement dernier » auquel Dennis faisait allusion ?

« J'ai envoyé un SMS à Jen, cet après-midi, pour lui demander une explication. Laissez-moi vous lire sa réponse :

Punèz ! T'A réson ! CT pas 1 menace. CT 1 averticemen pour le 2voir 2 liTratur ke G foiré à coz D Clection de pom-pom girls. 1 comentèr 2 text sur un livre ke G pas lu. G réuci la Clection mé G eu 0 à mon 2voir. Du cou on m'a viré 2 lékip. ce 0, CT le juGmen dernié ! Denis voulé just me poucé à travaïé !

- Au cas où vous n'auriez rien compris, permettez-moi de vous expliquer. Si Dennis a parlé de zéro fatidique et de jugement dernier à affronter, c'était pour prévenir Jen qu'elle allait perdre sa place dans l'équipe des pom-pom girls. On peut discuter les mots qu'il a employés, « jugement dernier », « fatidique », mais l'équipe de pom-pom girls compte beaucoup pour Jen et...

- Oui, merci, jeune homme, a coupé le président. Je crois que nous avons tous compris.

- Vraiment ? ai-je insisté. Vous avez vraiment compris ? Parce que c'est très important.

- Oui, merci. Vous avez largement dépassé votre temps de parole. Asseyez-vous, maintenant, a déclaré le président.

Je ne me suis pas assis.

- Les parents de ce jeune homme sont-ils présents ? a demandé le type en scrutant la salle. Non ? Vous devriez peut-être demander à ce jeune homme de s'asseoir, Mme Rabbski ?

La principale me foudroyait déjà du regard et semblait prête à bondir de son siège pour me traîner dehors.

- Ce ne sera pas nécessaire, monsieur, ai-je dit en retournant m'asseoir.

La mère de Dennis m'a serré fort dans ses bras. En temps normal, je n'aime pas qu'on m'embrasse, mais comme elle pleurait et tout ça, je n'ai pas protesté. Dennis m'a serré la main. Je n'aime pas serrer la main des gens non plus parce qu'ils appuient généralement leur paume contre la membrane entre mon pouce et mon index, et que ça me fait ensuite une sensation bizarre dans la main pendant le reste de la journée. Mais j'ai laissé faire Dennis.

Tommy avait un peu l'air d'une grenouille morte avec sa bouche béante. En fait, il a souvent cet air-là, mais cette fois encore plus que d'habitude !

Commentaire de Tommy : j'ai peut-être l'air d'une grenouille, mais Harvey, lui, affichait son horrible petit sourire genre c'est-moi-le-meilleur. Bon, je ne pouvais pas le lui reprocher. Pour une fois, il avait une bonne raison de la ramener. Il avait deviné ce qui nous avait complètement échappé. Et il y avait visiblement de quoi convaincre la commission que Dennis allait bien, n'est-ce pas ?

EH BIEN, PAS DU TOUT !

LA MÈRE DE DENNIS S'EN PREND À LA COMMISSION SCOLAIRE

PAR TOMMY

— Quelqu'un d'autre ? a encore demandé le président de la commission. Si personne d'autre ne désire s'exprimer, nous allons mettre fin aux interventions publiques. Puis-je avoir une motion pour la séance à huis clos concernant la question disciplinaire soulevée par Mme Rabbski, principale du collège McQuarry ?

— Je demande une motion, a marmonné l'un des membres.

— Attendez une seconde !

C'était la mère de Dennis.

— Euh, madame Tharp, la séance de débat public est close…, a dit le type en complet.

Mais il se doutait visiblement que ça n'allait pas l'arrêter.

– Pourquoi avez-vous besoin d'une réunion à huis clos ? a-t-elle demandé en se levant. Ces deux élèves ont permis d'éclaircir la situation.

– Je pense qu'il serait préférable d'avoir cette discussion à huis clos, madame Tharp, a insisté l'homme au complet.

– Que reste-t-il à discuter ? Mon fils a essayé d'avertir une élève qu'elle risquait de perdre sa place dans l'équipe des pom-pom girls si elle avait un zéro et...

La principale s'est levée.

– Madame Tharp, comme je vous l'ai déjà expliqué, certains comportements, dont la violence...

– S'il vous plaît ! l'a interrompue le type au complet. Arrêtez-vous tout de suite, madame Rabbski. La politique scolaire n'autorise pas les discussions sur les demandes de transfert en réunion publique !

– Mais elle va sûrement abandonner sa demande de transfert, maintenant, non ? a poursuivi la mère de Dennis. N'est-ce pas, madame ?

Elle a dévisagé Rabbski, qui s'est contentée de se rasseoir sans un mot.

— Vous voulez dire qu'après tout ce que nous venons d'entendre, vous voulez toujours envoyer mon fils dans un Établissement de Réinsertion Scolaire ?

Rabbski n'a pas frémi.

— Nous ne manquerons pas de prendre en considération ce que nous avons entendu ce soir, a assuré le type en complet. Cependant...

On n'a jamais su ce qu'il allait ajouter, parce que la mère de Dennis a pété les plombs.

Une fois, Mike m'a traîné à une de ses réunions religieuses des Djeunsdudroitchemin. Il y avait une espèce d'excité qu'ils appelaient tous Pasteur JJ. Il avait l'air plutôt sympa jusqu'à ce qu'il se mette devant tout le monde pour commencer à prêcher. Et là, il m'a fichu la trouille de ma vie.

Il hurlait pour nous annoncer la fin du monde et l'arrivée de sauterelles à visage humain et que j'allais brûler en enfer. Il pétait carrément les plombs.

Mais pas autant que Mme Tharp à la réunion.

– Vous allez le prendre en considération ?
VOUS ALLEZ LE PRENDRE EN CONSIDÉRATION ? Eh bien
vous pouvez, si vous me passez l'expression,
prendre en considération que je vous emmerde.
On nous a parlé toute la soirée d'un garçon
qui cherche par tous les moyens à se faire des
amis, et Dieu sait que ce n'est pas facile pour
lui. Mais il s'accroche et il tend la main du
mieux qu'il peut. Jusqu'à ce soir, je ne savais
pas tous les efforts qu'il faisait – et je suis
tellement fière de lui…

Sa voix s'est brisée et elle avait de plus en
plus de mal à parler. Elle se donnait presque
des gifles pour chasser les larmes.

– Vraiment, madame Tharp, je crois qu'il vau-
drait mieux parler de tout ceci en privé.

– De quoi voulez-vous encore parler ? Il a
dit à une fille qu'elle aurait zéro à un contrôle
si elle ne travaillait pas. D'accord, il n'a
pas été très clair. C'est vrai qu'il a des
problèmes pour formuler les choses. Mais vous
devriez l'aider à résoudre ses problèmes au
lieu de vouloir le punir.

– Bien sûr, madame Tharp, mais il y a eu d'autres problèmes, des difficultés, a tenté de glisser Mme Rabbski. Si nous pouvions aller...

– D'autres difficultés ? Il me semble que la seule difficulté, c'est que vous et votre équipe ne sachiez pas faire la différence entre un problème et un enfant très spécial, brillant et créatif. Viens, Dennis, nous rentrons.

Ils se sont dirigés vers la porte.

– Madame Tharp ! Nous devons encore prendre une décision. Dennis ne peut pas retourner en classe tant que...

– Retourner en classe ?! a-t-elle crié depuis l'entrée. Vous pensez vraiment que je vais le laisser retourner dans votre collège pourri ? Nous allons trouver un établissement où les gens n'ont pas... où les gens n'ont pas des crottes de nez à la place du cerveau ! Bonsoir !

APRÈS LA RÉUNION

PAR TOMMY

Ils sont partis.

Harvey a dit qu'il voulait rester voir si la commission allait suivre son conseil sur les jeux vidéo. Je l'ai prévenu que c'était très, très peu probable.

Puis le type à la cravate nous a priés de partir pour que la commission puisse délibérer à huis clos. Lorsqu'on est sortis, Dennis et sa mère étaient partis depuis longtemps. Harvey habite tout près du collège. Il a dit que son père me ramènerait chez moi en voiture. Alors on est partis à pied et j'ai poussé mon vélo, vu qu'il n'avait pas pris le sien.

— C'était chouette de ta part d'essayer de le sauver, j'ai dit.

— Dommage que ça n'ait pas marché.

— Mon dossier n'a pas été très utile non plus.

— Ça, c'est parce que c'est un bout de papier vert qui t'avait conseillé de le faire, a-t-il fait remarquer.

— Oh ! c'est vrai, j'avais oublié. C'est bizarre, mais je n'arrive pas à me faire à l'idée qu'Origami Yoda n'est pas réel.

— Ouais, c'est zarb, a-t-il confirmé. ET c'est débile aussi.

— Ouais, ouais, ouais. Mais alors, pourquoi t'as voulu sauver Dennis ?

— C'est Kraft Vador qui m'a dit de le faire.

— C'est vrai ?

— Je t'assure, a insisté Harvey. Tout ce qui s'est passé faisait partie du plan de Kraft Vador — enfin, presque. On ne voulait pas vraiment que Dennis se fasse virer. On voulait juste le faire craquer — l'obliger à reconnaître qu'Origami Yoda n'existait pas vraiment.

– Et c'est Kraft Vador qui t'a demandé de faire ça ?

– Évidemment ! Parce que lui, il est vraiment magique. L'important, c'est que… ça a marché. Dennis a tout avoué. Tout le monde peut enfin constater que j'avais raison depuis le début.

– Oui, enfin, tout le monde pense aussi que tu es mauvais.

– Mais c'est faux, a protesté Harvey. J'ai vraiment essayé de sauver Dennis ! Et t'as intérêt à le mettre dans ton dossier ! Et puis, regarde ça.

Il a sorti son Kraft Vador et il a replié le masque. En dessous, il avait dessiné un visage.

– Dennis avait raison… il avait raison… a croassé Origami Anakin*. Il restait encore un peu de bon en moi.

CONCLUSION

PAR TOMMY

Le lendemain matin était un samedi. Je me suis levé vers neuf heures et j'ai consulté ma boîte mail. J'avais un message de Dennis.

Viens chez moi à 9 h 45 pétantes. Apporte Origami Yoda !

Juste au-dessous, il m'avait fait suivre le message que le président de la commission avait adressé à sa mère :

Après votre départ, hier soir, les membres de la commission ont voté en faveur de la recommandation de Mme Rabbski, c'est-à-dire pour que

Dennis soit affecté dans un Établissement de Réinsertion Scolaire (ERS) jusqu'à la fin du semestre. Veuillez je vous prie contacter mon bureau pour...

BLA, BLA, BLA.

Ce n'était pas vraiment une surprise. On s'était complètement plantés. Ou peut-être qu'on avait fait du bon travail, mais on ne nous avait tout simplement pas écoutés.

Je me disais que Dennis devait être effondré et qu'il fallait absolument que j'aille le voir. J'étais plutôt cafardeux aussi. Et ce n'était pas forcément parce qu'Origami Yoda n'était plus là, mais bien parce que Dennis n'était plus là. On avait toujours été ensemble. Depuis la maternelle. Et je me rendais compte seulement maintenant que c'était un pote vraiment cool. Enfin, cool n'est peut-être pas le terme le plus approprié. Mais Dennis est ce qu'il est. Et la vie allait être beaucoup moins intéressante sans lui.

En plus, j'avais peur que les autres élèves de l'ERS ne lui fassent beaucoup de mal.

Mais je n'allais surtout pas lui parler de ça. Il était probablement assis dans un trou,

comme un zombie déprimé, et il fallait que je
lui remonte le moral.

Mais quand je suis arrivé là-bas, Dennis
était devant chez lui et s'amusait avec une
espèce de yoyo géant.

– Maman m'a rendu mon diabolo ! a-t-il crié
en agitant la bobine en l'air.

Il n'avait pas du tout l'allure d'un zombie.
Il ne paraissait même pas déprimé.

– Tu as apporté Origami Yoda ? a-t-il demandé.

– Oui, mais…

Il me l'a pris des mains, l'a aussitôt planté
sur son doigt et a semblé avoir une petite
conversation télépathique avec lui.

– Ouf ! a conclu Dennis. C'est super de le
récupérer. Je vais sûrement avoir besoin de lui
dans mon nouveau collège.

Je ne comprenais plus rien – comme souvent
avec Dennis.

– Ton nouveau collège. Tu veux parler de l'ERS ?

– Non, ma mère a décidé de me mettre dans un
collège privé.

– Un collège privé ?

– Oui, l'Académie Tippett.

– L'Académie Tippett ? Ce n'est pas là que va Caroline ?

Dennis a souri.

Alors, ça m'est venu comme un éclair. Bien sûr que Dennis n'était pas déprimé ! Il allait obtenir exactement ce qu'il voulait. Adieu Rabbski. Boujour Caroline !

Je ne suis pas vraiment du genre à répéter « J'y crois pas » à tout bout de champ, mais là, j'y… croyais… vraiment pas ! Une fois de plus, tout avait fonctionné exactement comme Dennis l'avait voulu. Avait-il tout organisé depuis le début ?

S'il s'agissait effectivement d'un plan machiavélique, quand exactement avait-il été mis en œuvre ? À la réunion d'hier soir ? Ou bien tout était-il prévu depuis la rentrée scolaire ?

Le dossier faisait-il partie du plan, lui aussi ? Se pouvait-il qu'il n'ait pas eu d'autre but que de convaincre Mme Tharp que son fils était un garçon aussi méritant qu'incompris, qui méritait d'aller à Tippett au lieu d'être envoyé dans un ERS ?

Si c'était le cas, cela voulait dire que Kellen et moi – et sans doute aussi Harvey – avions réussi et pas échoué.

Mais Dennis n'avait pas pu planifier tout ça, si ? Non, je ne pouvais pas le croire. C'était trop. Personne n'aurait été capable de prévoir comment les choses allaient tourner.

Personne, sauf… Origami Yoda.

Mais Origami Yoda était bidon, non ? C'est ce qui était dit dans la lettre.

Attendez ! Si Origami Yoda était bidon, pourquoi Dennis aurait-il « besoin » de lui dans son nouveau collège ?

– Dennis, je veux une réponse claire.

– De l'eau de roche, a dit Yoda. Très claire c'est.

– Arrête, s'il te plaît. Je vais te poser une question et je veux que tu me répondes clairement. Origami Yoda existe-t-il pour de vrai ?

Il a levé la marionnette.

– En moi plus tu ne crois ?

– C'est une question ! Je veux une réponse. Et de toi, pas de Yoda.

– Eau de roche.

– Ça n'était déjà pas drôle la première fois.
Bon, tu me réponds, oui ?

– Quelle était la question, déjà ?

– ORIGAMI YODA EXISTE-T-IL RÉELLEMENT ?

– Évidemment. Et devine quoi ? Ma mère m'a
rendu mon ordinateur, alors tu pourras toujours
envoyer des mails à Origami Yoda si tu as des
questions à lui poser.

– Mais je croyais qu'il ne pouvait pas répondre aux questions. Je croyais que c'était juste
du papier.

– Juste du papier ? C'est pas sympa. Tu vas
finir par le vexer.

– Mais la lettre, alors ?

– Quelle lettre ?

– Quelle lettre ?! LA lettre ! Celle où tu
disais à Harvey qu'Origami Yoda n'était qu'un
bout de papier ?

Origami Yoda a dit :

– Entendu parler de l'esprit manipulateur
Jedi tu as, hmm ?

UN NOUVEL ESPOIR

PAR TOMMY

- Attends une seconde, j'ai répliqué. Tu veux dire que…

- Excuse, m'a coupé Dennis, il faut que j'y aille.

Il a ramassé son diabolo avant de se précipiter chez lui.

- Mais si tu dois partir, pourquoi tu m'as demandé de venir à cette heure-ci ? ai-je lancé derrière lui.

- Tommy ! a appelé quelqu'un dans mon dos.

Je me suis retourné. C'était Sara. Sa famille montait en voiture. Elle a couru vers moi.

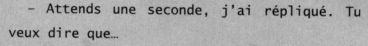

– Tu es venu, a-t-elle constaté. Le Yoda d'urgence de Dennis m'avait dit que tu viendrais, mais je n'y croyais pas trop ! J'ai cru que tu étais encore fâché contre moi.

– Fâché ?

– Parce que j'ai joué au mini-golf avec Patate Ronde.

– Je n'étais pas fâché, ai-je assuré. Juste…

– Sara ! a appelé sa mère. Venez, vous deux.

– Tu viens avec nous, d'accord ? a fait Sara en me prenant la main. On va prendre un brunch au Mabry Mill. Tu pourras me parler de Dennis et de la commission académique. Et je te raconterai à quel point Patate Ronde a été nul quand je l'ai battu au mini-golf. On pourra aussi parler de *Rêves de robots*, qui est vraiment un livre génial. Et on pourra surtout manger des crêpes au chocolat.

– Des crêpes au chocolat ?

– Ouais !

J'ai jeté un coup d'œil vers la maison de Dennis. Il me regardait depuis le porche et

agitait la main. C'était trop loin pour que
j'en sois sûr, mais je crois bien qu'il avait
Origami Yoda sur le doigt.

  – Ça marche ! j'ai répondu à Sara.

  Et ça a été super.

ORIGAMI YODA DE SECOURS EN 5 PLIS.

DESSINÉ PAR KELLEN!

① PREND 1/4 DE FEUILLE DE PAPIER

PLIE LE CÔTÉ GAUCHE

② REPLIE LE CÔTÉ DROIT PAR-DESSUS

③ RABATS LE COIN SUPÉRIEUR POUR FAIRE UNE OREILLE.

④ REPLIE L'AUTRE COIN SUPÉRIEUR.

⑤ RABATS LE TOUT VERS L'AVANT.

⑥ DESSINE LE VISAGE

COMMENT FAIRE TON
KRAFT VADOR !!!!

COMME D'HABITUDE, HARVEY EST TROP NUL POUR NOUS EXPLIQUER COMMENT FABRIQUER UN KRAFT VADOR EN ORIGAMI.

MAIS QUI A BESOIN DE LUI ? BEN, LE COUSIN DE MURKY A TROUVÉ COMMENT CONVERTIR LE YODA EN CINQ PLIS DE DENNIS EN UN KRAFT VADOR EN DIX PLIS !

DEMI-FEUILLE DE PAPIER

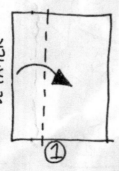

①

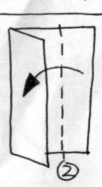

②

③

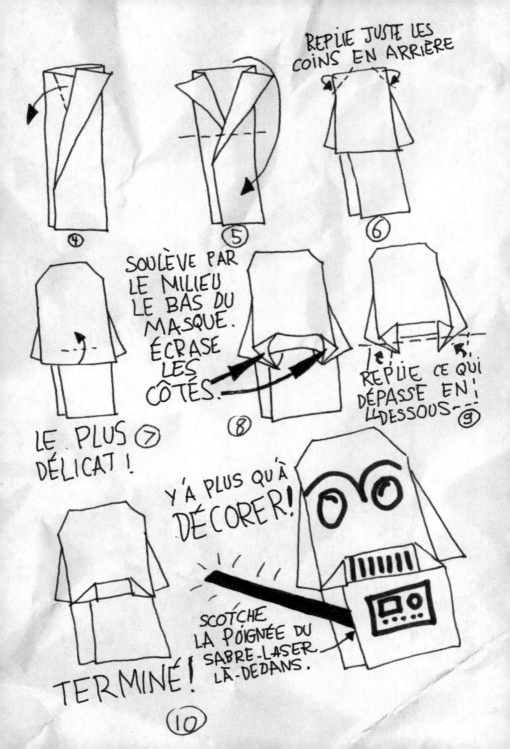

REPLIE JUSTE LES COINS EN ARRIÈRE

④

⑤

⑥

SOULÈVE PAR LE MILIEU LE BAS DU MASQUE. ÉCRASE LES CÔTÉS.

LE PLUS ⑦ DÉLICAT !

⑧

REPLIE CE QUI DÉPASSE EN DESSOUS ⑨

Y'A PLUS QU'À DÉCORER !

SCOTCHE LA POIGNÉE DU SABRE-LASER LÀ-DEDANS.

TERMINÉ !

⑩

REMERCIEMENTS

J'aimerais remercier tous ceux qui m'ont aidé et inspiré pour écrire et produire ce livre...

Les super-plieurs : Oscar, Charlie, Jack, Remi, Chad et Chad, Austin, Matthew, Matt, Derek, D. T., Jordi, Saen, Tyler, Oscar H., Jessica, Jake, Mark, Connor, Cary, Houston, Jamie, Michael, Emily, Joshua, Sam, Brandy, la classe de M. Schell, Cooper, Jackson, Brennan, Carl, Chance, Jimmy, Lorenzo, Wes, la Paper Jedi Society et tous les autres qui ont fabriqué leurs propres origamis Star Wars et les ont partagés avec moi.

L'inventeur du Kraft Vador en dix plis, le Super-Plieur Ben.

Les maîtres des origamis Star Wars : Chris Alexander, Won Park et Fumiaki Kawahata.

George Lucas et toutes les personnes géniales de la Lucasfilm qui ont rendu cette aventure possible d'abord en faisant les films, puis en approuvant mes idées et en se montrant tout simplement gentils.

Mes parents, Wayne et Mary Ann, ma famille, mes amis et acolytes : Michael et Julia Hemphill,

Steve Altis, Paul Dellinger, David West, George et Barbara Bell, Annell, Brian Compton, Matt Cunningham, Justin, Mme Moench, T. J., Linda, BNS, Cindy Minnick & Co, Paula Alston, Michael Buckley, Eric Wight, et John Claude Bemis. Et tous mes amis, en ligne sur Twitter et Clone Wars Striketeam.

Le UPS Store 3421, les Gel Pen Pilot G2, le Fort Vause Memorial String Band, et les boîtes de pop-corn Édu-Prop.

Tous ceux qui ont aidé à sortir ces livres pour que les enfants les lisent ; mon génial agent, Caryn Wiseman, la formidable équipe d'Abrams/ Amulet, les personnes formidables de Scholastic, les représentants enthousiastes et les libraires infatigables. Et, bien entendu, les enseignants, les directeurs d'établissements, les documen-talistes et les bibliothécaires !

Jane Emily Arnst, qui a fait le voyage avec moi.

Le mystérieux Jan Jahnke.

Jay Asher, qui m'a donné une super idée pour un nouveau dossier...

Et ma collaboratrice de toujours, Cece Bell !

À PROPOS DE L'AUTEUR

Tom Angleberger est l'auteur de *L'Étrange Cas Origami Yoda* et d'autres livres pour la jeunesse. C'est depuis très, très longtemps un fan de *Star Wars* et d'origamis, et il adore fabriquer des personnages de *Star Wars* en origami. Des images de certains de ses pliages – ainsi que des pliages vraiment impressionnants envoyés par des lecteurs – sont visibles en ligne sur www.origamiyoda.com.

Tom habite dans les Appalaches, en Virginie.

Mise en page: Anne-Cécile Ferron
Dépôt légal : avril 2013
Achevé d'imprimer en France
par Normandie Roto Impression s.a.s. en février 2013
N° d'impression : 130677